WAC BUNKO

新・階級闘争論

暴走するメディア・SNS

門田隆将

WAC

はじめに

世界が大きな流れに呑み込まれつつある。「新・階級闘争」である。

階級闘争？　いつの時代のことを言っているの？

思わずそう問いたくなる向きは多いだろう。しかし、二十一世紀の現在、二十世紀の一時期を席捲した「階級闘争」が〝姿を変えて〟世界を覆い始めているのである。

そんなバカな……。

今どき、「ブルジョアジー（資本家）」と「プロレタリアート（労働者）」の階級闘争かよ。いつの時代の話だ。アホらし。

そう考えるのも無理はない。

しかし、「新・階級闘争」とは、そんなかつての巨大な「階級」同士の闘いとはまったく様相を異にする。明確な搾取する側の「資本家」と、搾取される側の「労働者」のように位置づけられた闘いではない。

それは、性別、収入、学歴、人種、性的指向、職業、価値観……等々、人間の持っているあらゆる「差異」を強調してつくり上げられた、本来は存在しない「階級」「階層」によるものだ。

たとえ小さく些細なものでも、そこにある「差異」をことさら強調することによって〝差別の被害者〟を生み出し、それに対する「不満」を利用して、本来はあり得ない一種の「階級闘争」に持っていくものだ。

ポイントは、その「差異」の中で大衆に、自分は「差別を受けている」、あるいは「平等が侵されている側」という〝被害者意識〟を植えつけることができるか否かにある。

つまり、「差別する側」と「差別される側」の二つの階層を概念上、つくり上げたうえで、大衆をそれぞれのジャンルの〝被害者に持っていく〟のである。

被害者がいなければ、広範な政治運動にはならないが、ここで被害者、あるいは被害者意識さえつくることができれば、あとはもう大丈夫だ。

日本は、とっくにこの「新・階級闘争」の只中にある。

二〇一八年九月に起こった『新潮45』に執筆した杉田水脈(みお)議員の記事をめぐるLGBT差別騒動、二〇二一年二月、女性蔑視発言をしたとして、メディアやSNS（交流サイト）の〝集団リンチ〟の末、東京五輪組織委員会会長の座を追われた森喜朗氏の例が典型だ。

これらは「差別」「蔑視」「不平等」といった誰も反対できない概念を突きつけられ、煽動され、騒ぎが大きくなっていったものだ。

革命は、恐ろしいパワーがなければ実現することはできない。歴史に残る革命は、すべてそうだった。

しかし、二十一世紀の今、日本あるいはアメリカなどでおこなわれているのは、マスコミやＳＮＳが煽り、それに同調した人々が拡散し、当事者を追い詰めていくかたちをとる。

個人を徹底的に責め抜き、吊るし上げ、うねりのような「力」を生み出すのだ。狙われた側は、まさしく恐怖以外のなにものでもないだろう。

資本家打倒を掲げたかつての共産主義革命の階級闘争とは、全く異なるものであることがわかっていただけるだろうか。

だが、ベルリンの壁が崩壊した一九八九年以降、共産主義の敗北はすでに歴史上、決定している。共産主義陣営を率いた盟主・ソ連も解体されてロシアとなり、東欧をはじめ共産主義圏は総崩れになった。

共産主義とは、文字どおり、人民が〝すべての財産を共有すること〟である。資本家と労働者といった階級もなく、財産は再配分されるのだ。

社会に「階級」も「貧富の差」も存在しないという理想の社会にほかならない。

しかし、財産を再配分するのは、あくまで「政府」だ。共産党がつくった独裁政権である。

彼らが富の再配分に対して全権を持ち、特権階級をつくり、財産を独占し、人民を搾取する——そのことが新たな「不平等」を生み、耐えがたい「不条理」が創り出されていくのである。

それなら貧富の差はあっても、自由に職業を選び、指導者を選び、定期的に権力も交代させる民主主義、資本主義の方がマシではないか、という方に人々が「傾いていった」のは当然だろう。

人類史の上では、自由と民主主義が共産主義、つまり独裁を前提とする全体主義に打ち勝ったはずだった。

だが、共産主義は形を変えて、どっこい生きていた。

ソ連の崩壊後も、共産党一党独裁政権の中華人民共和国は生き抜いた。国家管理の下、自由経済を取り入れて、当初は安い労働力で世界と低価格による競争をおこない、次第に外国の資本と技術を盗んだり、取り込んだりしながら、一党独裁政権下の経済成長という「奇跡」を実現したのである。

そして、中国はそれでは飽き足らず、世界中に工作の手を伸ばしていった。巷間、「左翼」と呼ばれる人々にとっては、中国の存在は一種、心の支えでもあっただろう。

彼らは、資本主義が大嫌いだ。あらゆることを政権叩きの材料にし、いつの日か国家転覆を果たすのが目標だ。共産主義、あるいは階級闘争が敗北しても、さまざまな抵抗を試みてきたのが彼らなのだ。

その手段が新しい「階級闘争」にほかならない。左翼は脈々と生き続け、新たな戦い方を考え、練り上げ、工夫し、創出しつづけているのである。

ひとつの怪物がヨーロッパを徘徊してゐる。——共産主義の怪物が。旧いヨーロッパの全ての権力がこの怪物の神聖な退治のために、同盟してゐる。

これは、カール・マルクスとフリードリッヒ・エンゲルスが著書『共産党宣言』（一八四八年刊）の冒頭で記した有名な一節である。

十九世紀から二十世紀にかけて、世界を徘徊した共産主義というモンスターは、多くの民衆の命を奪い、不幸と惨禍をもたらした末に敗れ去った。

しかし、二十一世紀の今、彼らは再び姿を現わした。それもインターネット、特にＳＮＳという歴史上なかった情報伝達手段をもとにして、見事に蘇ったのである。

私は、かねて歴史的なこの現象を表わす本を上梓したいと願望していた。

国家破綻につながる批判や、「反日亡国論」が大手を振り始めた中で、一見、無関係な事件や出来事にも、懸念すべき全体主義を目指す兆候が散見されるようになってきたからである。

ちょうどＷＡＣから、私が連載している『ＷｉＬＬ』のコラムを刊行したいとのお誘いをいただいた。私は二つ返事で承諾した。

いま日本が、いや世界が置かれている現実を少しでも多くの日本人に知って欲しいと思ったからである。本文でも詳述させてもらうように、二〇二〇年のアメリカ大統領選ほど、その危機の深刻さを表わすものはなかった。

連載とは、そのまま「その時々」の出来事のレポートでもある。さまざまな現象が、どういう真の危機を伝えているのか、そのことを知るには格好の材料となる。

二〇一三年から約八年間に及ぶ本書の論評が、読者の皆様が「日本の未来」への道を考える際に些(いささ)かでも手助けとなるなら幸いである。

門田隆将

新・階級闘争論

暴走するメディア・SNS

◉目次

装幀　須川貴弘（ＷＡＣ装幀室）

※本書は、書下しの「序章」「終章」と
月刊誌「Ｗ・ｉ・ＬＬ」連載の「事件の現場から」
などに掲載された原稿を元に加筆し再構成しています。
末尾に初出の媒体、掲載号を明記しています。
特に断りのない場合、肩書等は当時のものです。

序章
「メディアリンチ」吊るし上げ時代

メディアリンチの目的

「いつから日本は老人いじめの国になったんだい？」

「あの話のどこが悪いの？　女性は優れている、って話じゃないの？」

森喜朗氏に対する異常な〝メディアリンチ事件〟が起こった二〇二一年二月、私は森氏の発言全文を読んだ人から、そんな感想を幾度も伺った。

「発言の中身という〝事実〟は関係ないんですよ。彼らは、ただ吊るし上げて〝権力〟に打撃を与えられればそれでいいんですから」

私は問われるたびにそう答えた。

二月三日、森氏はマスコミにも公開されていた組織委員会の会合で、およそ四十分にわたって長広舌（ちょうこうぜつ）をふるった。オンラインでマスコミが聞き耳を立てている中でのことだ。いつも話が長い森氏だが、この日は普段以上に饒舌（じょうぜつ）だった。

会議の場所であるジャパン・スポーツ・オリンピック・スクエアの説明に始まり、秩父宮競技場の移転問題や、ラグビー・ワールドカップの際のラグビー協会の話など、さまざまな話が飛び出した。

テープ起こしをすると約八千四百字になるほどの分量だ。四百字原稿用紙で二十一枚にも及ぶ膨大なものである。その中の五百字ほどがマスコミに取り上げられた女性に関する部分だ。

ここで森氏は「女性は優れているので、欠員が出たら必ず（後任には）女性を選ぶ」という趣旨の話をしている。女性の能力を讃えるというか、目の前にいる組織委員会の女性たちを褒めあげるものである。

しかし、森氏の話は、結論を簡単には言わないことで知られる。脱線したり、あちこち寄り道しながら、最終的にはあらかじめ決めていた結論へと持っていくのである。政治部の人間なら誰でも知っている、いわゆる〝森話法〟である。

この日も、結論にいく前に自分が会長を務めていたラグビー協会では女性理事に競争心が強く、会議をすると「時間がかかった」という〝脇道〟を通っていった。

森話法に慣れた人間なら、「目の前にいる組織委員会の女性たちを褒めるために、こんな寄り道をするのか」と、笑って終わる話である。

ところが当日の午後六時過ぎ、朝日新聞が一本の記事をデジタル配信してから雰囲気が変わった。

〈「女性がたくさん入っている会議は時間かかる」森喜朗氏〉

朝日の記事には、そんなタイトルがつけられていた。

森発言を耳にし、かつ、朝日の手法を知っている人間は、

「あぁ、ここを取り上げたか」

と納得したに違いない。「朝日は女性差別に仕立て上げ、問題化するつもりなんだな」

とすぐピンと来るからだ。

朝日は発言の切り取りとつなぎ合わせでは、他の追随を許さないメディアである。わざわざあの五百字に過ぎない部分の後半の重要部分ではなく、前半部分の〝脇道〟に焦点を当てたのだ。

だが、〝森話法〟を知る記者なら、記事のタイトルは当然、こうするだろう。

〈「女性は優れている。だから欠員が出ると女性を選ぶ」森喜朗氏〉

まるで正反対である。

もちろん、朝日ではそれでは攻撃材料にはならないので記事として成立しない。「角度がついていない」記事は、朝日では許されないからだ。

角度をつける――というのは朝日社内の隠語である。自分たちの主義・主張や社の方

針に都合のいいように事実をねじ曲げて記事を〝寄せる〟ことを意味する言葉だ。

二〇一四年、朝日の慰安婦報道にかかわる問題で、社内に設けられた第三者委員会の報告書の中で、委員の一人である外交評論家の岡本行夫氏がこう書いたことで有名になった。

〈当委員会のヒアリングを含め、何人もの朝日社員から「角度をつける」という言葉を聞いた。「事実を伝えるだけでは報道にならない、朝日新聞としての方向性をつけて、初めて見出しがつく」と。事実だけでは記事にならないという認識に驚いた〉

岡本氏だけでなく一般人も、〈事実だけでは記事にならない〉という感覚は驚愕（きょうがく）以外のなにものでもないだろう。簡単にいえば、社の方針に従って事実そのものを変えるということなのだから当然である。だが、それが朝日新聞なのだ。

今回の場合、森氏と東京五輪に打撃を与え、できれば中止に追い込み、選挙で自民党を敗北させ、菅義偉首相を政権から引きずり降ろすことが目的にある。朝日の記事はすべて「そこ」に向かっており、事実は都合よく変えられるわけである。

森発言を「女性蔑視」として糾弾するために必要なのは、いかに問題を国際化させるかにある。要するに「外国メディアに取り上げてもらうこと」だ。

これによって、海外で問題になっていることを打ち返し、国内世論を誘導するのである。その際、最重要なのは誰であろうと反対できない〝絶対的な〟言葉や概念を持ち出すことにある。

そのためには、核になる言葉が必要になる。森氏糾弾に使われ、大きなインパクトを与えたのは、主に以下のキーワードだ。

・Sexist（性差別主義者）
・discrimination against women（女性差別）
・contempt for women（女性蔑視）

朝日新聞、毎日新聞、ＮＨＫなどが英語で発信した記事の中で使ったのは、これらの言葉である。

「日本の組織委員会のトップは性差別主義者であり、許されざる女性蔑視発言をおこなった」

海外メディアは、森喜朗氏をそう報じた。

　だが、森氏を知る人間は、同氏が「性差別主義者」「女性を蔑視する人間」などと誰も思ってはいない。家庭においても、政界でも女性の力を尊重する人物であることは有名だ。しかし、日本のマスコミは、朝日を筆頭に「事実」は関係ない。そのうえでメディアリンチで徹底的に吊るし上げ、架空の事柄によってその人物を葬り去るのである。

　差別と女性蔑視の人間ということで海外で報道されれば、今度はそれを以て、海外の有力スポンサーや政治家、あるいは、日本国内の政治家、財界人、スポンサー、識者、スター等のコメントを取るだけでいいのだ。

「差別」「人権」「蔑視」というレッテル貼りに成功すれば、もはや、これに反対することはできない。もし反対すれば、今度は自分が槍玉に上がるからだ。

　そして一般の人間も巻き込んで異常な〝集団リンチ〟が完成するわけである。

　こうして癌と闘い、週三回の人工透析の中でがんばってきた八十三歳の森氏は辞任に追い込まれた。

　男女の「性別」という差異をことさら強調することによって女性を弱い立場に置き、それを「蔑視する人間」として一人の人間を差別主義者に仕立て上げて葬り去ったのだ。

そんな日本のマスコミの手法は、あらゆる意味で卑劣である。

そこには事実の確認も、礼儀も、容赦も、遠慮も、何もなかった。私はマスコミに対してだけでなく、日本そのものに深い失望を覚えた。

世界に、自分たちが思い込んだ〝日本の恥〟を晒し、貶め、侮蔑する人々。つくり上げられた「新・階級闘争」に踊らされ、SNSを通して集団リンチに加わった人々には、いうべき言葉もない。

アメリカに台頭した全体主義

こういった現象に見舞われているのは、日本だけではない。アメリカも同様だ。いや、深刻さという点では、アメリカの方がはるかに上だろう。

二〇二〇年五月二十五日、ミネソタ州ミネアポリスで発生したジョージ・フロイド事件は、アメリカそのものがいかにこの「新・階級闘争」の只中にいるかを示すものでもあった。

偽ドル札使用の容疑で、フロイド氏は白人警官に手錠をかけられた。そのまま動けないように膝で頸部を抑えつけられたのである。

「助けてくれ！」

「息ができない」

そう叫んでいるにもかかわらず、実に八分以上にわたって白人警官はフロイド氏の顔面を路面に抑えつけ、死に至らしめた。

事件のありさまはフロイド氏の友人や一般市民によって携帯電話で撮影され、ＳＮＳを通じてあっという間に全世界の人々が知ることになった。

それを即座に全米での抗議に持っていったのは、ＢＬＭ（ブラック・ライブズ・マター）やＡＮＴＩＦＡ（アンティファ）といった左翼活動家たちである。

略奪や放火といった暴力的な抗議に持っていった中には、事件を「トランプ政権の失態」にして大統領選で勝利するとの戦略があったのは想像できる。特に民主党が強い州では暴動に近い状態となったことからも、そのことは窺(うかが)える。

主要マスコミは、トランプ政権の黒人への差別姿勢によるものと印象操作し、急増するコロナ死者の問題とともに、事件は一挙に大統領選の争点になっていった。

トランプ大統領は五月三十一日、以下のツイートを投稿した。

The United States of America will be designating ANTIFA as a Terrorist Organization.

（アメリカ合衆国はＡＮＴＩＦＡをテロ組織として指定する）

トランプ陣営は、いうまでもなく反白人優越主義・反人種差別主義を掲げるＢＬＭとアンティファが暴力的なデモの中心になっていることはわかっている。主要マスコミの九割が「民主党支持」という異常なメディア状況の中で、「トランプ＝人種差別主義者」という印象報道の継続をどこかで断ち切りたかったに違いない。

トランプ氏はオバマ時代から失業率を五ポイントも下げ、コロナ禍直前の二〇二〇年一月には五十年ぶりに「失業率三・五％」を実現するなど、雇用と景気の拡大に大きく貢献している。

黒人の失業率は六・八％で過去最低水準となり、ヒスパニック系も四・九％まで低下させた。着々と雇用を増やしていくトランプ氏の政策は黒人・ヒスパニックから支持され、実際に二〇二〇年大統領選では黒人・ヒスパニックの得票数を大幅に伸ばしたことがのちに明らかになっている。

いわば〝黒人のための政策〟を基本としてきたトランプ大統領を、全く事実とは異なる「差別」という誰もが反対できない概念で糾弾していく手法が罷り通ったのだ。

結果的に二〇二〇年大統領選は、D・トランプ氏が現役大統領として史上最多の七四〇〇万票を獲得したが、八一〇〇万票という大量票を〝獲得〟したJ・バイデン氏が新大統領となった。

しかし、直後から不正疑惑が噴出。ペンシルベニア、アリゾナ、ジョージアなど激戦州では、不正疑惑を調査する公聴会も開かれ、多くの宣誓証言と不正を証明する映像が飛び出すアメリカ大統領選史上、例をみない異常事態となったのは周知の通りだ。

公聴会では、具体的な不正のありさまが目撃者や統計の専門家らによって直接、証言された。公聴会での宣誓証言は、虚偽である場合は処罰（注＝罰金もしくは五年以下の自由刑）の対象となる。すべて「証拠」として扱われるだけに極めて責任が重い。

「民主党の組織から依頼されて、私がやりました」

約十万人分の偽造の郵便投票用紙をトラックに乗せ、投函所に配った運転手がそんな告白をしたり、開票スタッフが机の下にあらかじめスーツケースを隠し、夜になってそこから投票用紙を取り出して集計するという不審な行動が監視カメラに捉えられていたり、さまざまなことが明らかになった。

さらに集計機・ドミニオンにも多くの疑問が出され、唯一、裁判所が司法監査を命じたミシガン州アントリム郡では、同機の集計の誤りは「六八・〇五パーセント」に及んでおり、安全性において「重大かつ致命的である」との結論が出た。

しかし、これも米マスコミの扱いは小さかった。大手マスコミのほとんどが民主党支持なのだから、当たり前だ。ちなみにアメリカのメディアは政治的な「中立」を謳(うた)っておらず、共和党支持、民主党支持、独立系など、立場も編集方針も明確に分かれている。

全米の一部で、「一瞬で大量の得票が加わる現象」が〝バイデン・ジャンプ〟と称されたものの、徹底解明は果たされなかった。

二〇二〇年十二月十七日、日本でもベストセラーとなった『米中もし戦わば』(原題:Crouching Tiger What China's Militarism Means for the World)で知られる著名な学者であり、国家通商会議議長(現・通商製造業政策局局長)も務めたピーター・ナヴァロ大統領補佐官(当時)の報告書が公表された。

同レポートは、「明白な有権者詐称」「投票の不正操作」「投票プロセスでの反則」「開票機械の不正」「平等保護条項違反」「激戦六州の統計的異常」という全六項目に分けて不正選挙の実態を列挙し、政府や議会にこれらをもとに本格的な調査の必要性を訴えたのである。

だが、司法は、これらの解明に協力する姿勢は見せなかった。

第一章で詳述するが、二〇二〇年十二月八日、テキサス州が、ペンシルベニア、ミシガン、ジョージア、アリゾナの四州を「大統領選の手続を不当に変更し、選挙結果を歪めた」として連邦最高裁に訴え出た。

正当な選挙を行ったにもかかわらず、テキサス州は「正当な選挙結果」を得ることができず、これは憲法の「平等保護条項」に違反するという理由だ。

しかし、これも、テキサス州には他州の選挙に訴訟を起こす法的利益がなく、「原告適格性を欠く」として連邦最高裁は門前払いにしたのである。

そして二〇二一年一月六日、不正選挙を糾弾するために集まったトランプ支持者や、この中に紛れ込んだ反トランプと見られる左翼活動家たちによって連邦議事堂侵入事件が引き起こされた。

そこで巻き起こった「トランプが暴動を煽った」という一種のヒステリー状態についての論評は第一章に譲るが、当日、ホワイトハウス前に集まった大群衆に対して、

〝peacefully（平和的に）〟という言葉をわざわざ使ったトランプ氏の演説が「全く無視された」ことは忘れてはならない。

マスコミはその部分をカットして「弾劾だ！」「暴動煽動を許すな」と一方的に非難し、事実確認もなければ、弁護の機会も与えられることもなく、検証するための公聴会も開かれないまま、異論を許さない空気がワシントンを支配したのである。

そして、ツイッター社は「今後も暴動を煽る恐れがある」とトランプ氏のツイッターアカウントを永久停止にした。不都合な言論は封じ込んで、一方的に糾弾するという自由の国・アメリカとは思えないヒステリー状態が全米を覆ったのだ。

それは、全体主義と自由主義との闘いでアメリカにおいて「全体主義が勝利する」というあり得ない現象だった。

こうして、民主主義の根幹を揺るがす不正疑惑が闇に葬られただけでなく、アメリカは自由な言論空間さえ確保することが難しい時代を迎えたのである。

興味深いのは、「選挙に不正があった疑いがある。真相を究明しなければならない」と主張すれば、それがそのまま「陰謀論者」とされることだった。

アメリカで政治・経済・社会・文化といった情報の約八割を握っているのは、グーグルやフェイスブックなどの「ビッグ・テック」である。これらもまた露骨な民主党支持勢力として知られている。

二〇二一年一月、ツイッター社からとんでもない画像が流出した。

同社の共同創業者であるジャック・ドーシー氏が社員にテレビ会議を通じてこんな発言をしたことが暴露されたのだ。

「トランプ氏のアカウント永久停止は、まだ〝第一歩〟に過ぎない」

この〝第一歩〟の意味は、トランプ陣営の弁護士や支持者たちのアカウントが次々停止されていったことで「ああ、このことだったのか」と合点した向きも多かっただろう。

世界で最高権力を持つとされるアメリカ大統領であっても、自身の「言論の自由」はビッグ・テックを前にすれば、赤子の手をひねるがごとく奪い去られるのである。

すでにアメリカでは全体主義陣営の側が政界のイニシアティブを握ったことを知らねばならない。

〝キャンセル・カルチャー〟に覆われる世界

だが、これらが日本やアメリカだけの現象と考えてはいけない。ヨーロッパも、とっくにその渦の中に巻き込まれている。特にフランスである。

〈「米国発」の急進左翼にノン？　フランスで大論争〉

産経新聞パリ支局の三井美奈支局長が、そんな記事を発信したのは二〇二一年二月二十八日のことだ。フランスで起こっているアメリカ以上の情況をレポートしたものである。

記事では、フランスで二〇〇〇年代の初めに社会学者によって創られた「イスラム左翼」という言葉が解説されている。

〈共産党や社会党に旧仏植民地出身のイスラム移民層が加わり、イスラエルのパレスチナ占領に抗議する勢力を指した。それが植民地支配の歴史糾弾に発展し、女性や性的少数派などの反差別運動と連帯した〉

やはりフランスでも、特定の政治勢力が「連帯」することで、過激な反政府運動が展開されているのである。

彼らの特徴は、敵側の「言論の封殺」にある。同記事では、

〈「植民地主義者」「差別論者」とみなした標的に、ネットやデモで猛烈な抗議を仕掛け、発言の場を奪う。米国では、少数派差別に少しでも加担するような発言をした著名人を

糾弾し、公の場から排除する「キャンセル・カルチャー」が強まっているが、そのフランス版と言えば、近いだろう〉

キャンセル・カルチャーというのは、その人物の言葉の一部、あるいは過去の思想や発言の一つの側面を捉えて糾弾し、その存在すべてを否定し、非難することである。

SNSが発達するにつれ、影響力と規模は拡大の一途を辿り、ハッシュタグ（#）をつけて、個人や組織への攻撃から政治運動にまで広範囲に利用されるようになった。

ポイントは、その「匿名性」にある。

匿名は、個人としての〝羞恥心〟をかき消す作用がある。一方、それに反比例して〝攻撃性〟を異常なほどに加速させる力がある。このキャンセル・カルチャーが過剰な糾弾を呼び、自殺に追い込まれる人も出てくるなど、大きな社会問題となってきたのは各国に共通する。

フランスでは、二〇一九年に「ソルボンヌ大事件」が起きた。

役者の顔を褐色に塗り、仮面をつけるというギリシャ悲劇での演出に「黒人嫌悪と闘う旅団」「アフリカ黒人防衛同盟」などの団体が「差別表現だ」と抗議したことから激しい抗争が生まれた。三井支局長の記事は、このことを詳しくレポートしている。

差別に抗議するデモ隊が会場で、役者の入場を実力で阻止したことをきっかけに、ソルボンヌ大学に限らず、イスラム移民、同性愛者の「権利を阻む」とみなされたイベント等が次々と標的になっていったのだ。

「差別」というレッテルには、誰もが抵抗する術（すべ）を持たない。旧植民地に多数のイスラム教徒を抱えるフランスではなおさらだ。

〈米国の「ブラック・ライブズ・マター（黒人の命は大切）」運動に呼応して、パリでは昨年、奴隷制を支えた17世紀の財務総監コルベールの像に赤ペンキが浴びせられた。この論理では、太陽王ルイ14世も皇帝ナポレオンも極悪人になってしまう〉

いかに差別という概念を用いて被害意識を煽り、政治的な訴えに利用する動きが世界に広がっているかをわからせてくれる記事である。

「差別」あるいは小さな「差異」を捉えて、これをことさら強調することによって被害者を生み出し、一種の「階級闘争」に持っていく手法は、インターネット、SNSという巨大な力によって生み出された二十一世紀の「モンスター」なのである。

第一章

SNSの標的になった人々

「寛容」が消えた日本はどこにいくのか

東北新社に勤める菅義偉首相の長男・正剛氏との会合の告発から始まった総務省接待問題。「利害関係者」から金銭・物品の贈与や接待を受けることを禁じた「国家公務員倫理規定」に違反しているとして、次々と総務官僚たちが〝血祭り〟に上げられた。

やがて接待の主体が東北新社からＮＴＴへと移り、武田良太総務大臣にも飛び火した。週刊文春が何かを取り上げるごとに国会はそれに振りまわされる。野党には調査能力などなく、文春が唯一ともいえる〝ネタ元〟だからだ。

だがＮＴＴの最大株主は「国」であり、当然、会合をはじめ、さまざまな接触があるだろう。ＮＴＴの澤田純社長は国会に呼ばれた際、こう証言した。

「日頃よりマスコミや与野党議員を始め各界有識者と意見交換の場を設けている」

ならば、野党も誰がＮＴＴ社長との会食に応じたのか、まず明らかにしてから国会で追及すべきだろう。

さらにＮＴＴだけでなく、ＮＨＫの接待問題も解明していただきたい。国民から受信料を年間およそ七千億円も徴収し、内部留保を三千七百億円も有する巨大組織がＮＨＫである。その「特権」を守るために、ＮＨＫが国民の受信料を使って総務官僚にどんな接待をおこなっているのか。そのことを是非、追及していただきたく思う。

　自分たちを対象から外して報じるマスコミの卑劣さは相変わらずだが、この騒動のもう一つの主役はＳＮＳである。たとえば、山田真貴子内閣広報官が辞職に至るまでのＳＮＳのツイートはあまりに酷(ひど)かった。

〈よくものうのうと辞めずに居座るな。安倍晋三と同類だ。菅や二階、麻生とも同類。国民のために働かず、自分のために働き、国民の税金をむさぼり食う無能な連中たちよ、さっさと消えろ　#山田真貴子辞めろ〉

〈#山田真貴子辞めろ。月額報酬１１７万円超の６割を自主返納したって45・６万円残るし、世間は一般的にお前の歳で40万以上稼げる女は少ないんだよ〉

〈辞めろ、クズ女！　#山田真貴子辞めろ　#自民の地方議員をガンガン落とそう　#スガの放送利権を許さない〉

〈#山田真貴子辞めろ　わあーーー、いやだなー　この手のおばさん！　腹黒いよ　子供や

学生！　なつかんだろうな 最悪！　最低！〉

……SNSのツイッターには、「#」付きの〈山田真貴子辞めろ〉が溢れ、さすがに嫌になったのだろう。山田氏は三月一日、ついに辞職した。

私はこの手のツイートをみる度に「本当にここは日本なのか」と思う。自分は匿名で、これほどの罵声を他人に浴びせることができる人が「大勢、日本にいる」ことに毎回、衝撃を受ける。それは日本の美徳でもある「寛容」が消えつつあることを示している。

寛容が消えるのは、「異論を許さないこと」と同義である。全体主義、共産主義には、もとより「寛容」はない。あるのは破壊と独裁、弾圧である。

寛容をなくし、信じられないような罵声を浴びせる人々が、一方では中国共産党がおこなっているウイグルジェノサイドや香港弾圧に対しては信じられないほど「寛容」であることは何を意味しているのか。

歴史的に左翼革命は、既存の文化を破壊することから始まる。革命とは、従来の価値観を打破することが最重要だからだ。

すでに自由主義の本家・アメリカで「言論の自由」が侵され、革命が始まっている。

二〇二一年一月、ワシントンでの議事堂乱入騒動の際の総ヒステリー現象、そしてトランプ大統領のツイッターアカウントの永久停止などは、そのことを如実に表わしている。世界的な全体主義の台頭だ。

アメリカの総ヒステリー現象が乗り移ったかのように、日本でも、森喜朗氏への集団リンチ事件、総務省接待疑惑などで、常軌を逸した攻撃が起こった。

誰がこれらを煽動しているのか。ツイッターを追っていくと、見事なまでに左翼勢力のアカウントに行きつく。そして、さらにそのツイートを遡(さかのぼ)っていくと、彼らが日本の文化を破壊するために、いかに必死であるか、よくわかる。女系天皇容認論、女性宮家創設、夫婦別姓論なども、そのレールの上にあることが浮かび上がってくるのである。

私たちの重要な文化である「寛容」はすでに壊されているかもしれない。しかし、日本独特の文化を守ることが、自由なき「全体主義」の訪れを防ぐ最大の方法であることを、私たちは知るべきなのである。

（二〇二一年五月号）

トランプ叩きで暴走したアメリカ

「本当にバイデン大統領になってしまうんでしょうか」——台湾の多くの友人・知人から、嘆きのような問い合わせが相次いでいる。それはかつてないほどの危機感と切実さである。

なかには「この四年で台湾はなくなるかもしれない」という極端なものまである。いや、後述するようにそれすら大袈裟ではない状況が生まれつつある。

しかし、日本の地上波では、「トランプは早く敗北宣言を」「これ以上ごねることは許されない」「もう勝負はついている」……等々、連日、そんなコメントが流されている。この人たちはいつになっても国際情勢の現実などわからないし、自分自身、さらに子や孫の〝命の危機〟にさえ気づかないだろうと私は感じる。

バイデン氏が史上最多の「七千八百十八万票」という〝あり得ない数字〟を獲得(二〇二〇年十一月十八日時点)し、大統領選に勝利したことになっている。あの初の黒人大統領誕生となったオバマ氏勝利の熱狂選挙での獲得票「六千九百四十八万票」を九百万票も上回ったのだ。

しかし、投票が終わると二重投票や死者による投票、監視人が排除されたのちの疑惑の集計など、各州でさまざまな告発が相次いだ。なかでも集計システム・ドミニオンへの疑惑が噴出し、トランプ氏自身が「二百七十万もの私の票が削除された」と告発し、ワシントンＤＣでは「選挙を盗むな」との数十万のトランプ支持者の大規模デモがおこなわれた。

だが、冒頭の台湾人の嘆きは、そんな不正がおこなわれたか否かには関係ない。刺激的な言い方を許していただけるなら〝中国に買収された一家〟の関わった問題にほかならない。いま世界最大の中国ウォッチャーである台湾の人々、特に知識階層では、「トランプ—安倍時代」から「バイデン—習近平時代」への歴史的転換への懸念と失望が噴き出しているのだ。

「トランプ—安倍」については説明を要すまい。二〇一六年十一月、大統領選当選直後にニューヨークのトランプタワーを訪ね、トランプ氏を見事に取り込んだ安倍氏の手腕に世界は驚嘆した。国際社会で〝猛獣遣い〟の異名をとる安倍氏は評判どおりの実力を発揮し、歴史的な日米蜜月時代を築いた。二人の信頼関係は、「トランプ説得にはシンゾーに頼むのが一番」という逸話まで生むほどだった。

実際に国際会議の場では「シンゾーがいいなら、それでいい」というトランプ氏の言葉が何度も飛び出した。首脳間の信頼を元に日米が国際社会をリードした歴史的な時代だった。だが、仮にバイデン政権が誕生すれば、それは「バイデン―習近平時代」への突入を意味する。

バイデン一家と習近平氏との蜜月は驚くべきものだ。バイデン氏は習近平氏がまだ副主席だった二〇一一年八月に訪中し、五日間にわたって北京、そして四川省への旅行で習氏と濃厚な時間を過ごしている。習氏はつきっきりでバイデン氏をもてなし、四川省でも案内人を務めた。当時、中国メディアに紹介された互いに腕をまくり上げてシャツ姿で笑う両者の笑顔は、まさに〝親友同士〟である。

そして半年後の二〇一二年二月、二人の関係はさらに深まる。習近平氏が夫人を伴って訪米すると、今度はバイデン夫妻が一切の面倒を見たのだ。副大統領自ら空港まで出迎える異例の厚遇で、晩餐会にも招待し、米西海岸を夫婦同伴で案内。華人(かじん)社会にも飛び込む大サービスまで見せて蜜月をアピールしたのである。

そして極めつけが二〇一三年十二月のバイデン氏の訪中だ。エアフォース２で訪中した氏は次男のハンター氏を同行しており、ここでさまざまな〝商談〟がおこなわれている。帰国したハンター氏はすぐに投資会社を設立。その会社には十億ドル（注＝日本円でおよそ一千億円）という目も眩む額の資金が中国から投入されたのである。

大統領選の討論会でトランプ氏はこのことを指摘。ハンター氏は「取締役を退任する」と発表した。習氏とバイデン家が〝通常の関係〟ではないことがわかる。これらの事実は台湾の知識層には広く知られている。それが前述の通り、「世界の中心は〝トランプ―安倍時代〟から〝バイデン―習近平時代〟へと移行する」との予測となり、台湾で危機感が上昇しているのだ。

台湾も、もちろん尖閣も、アメリカが動かなければ〝風前の灯〟だ。冒頭の台湾人の嘆きは正にそこにある。東アジアにとって極めて危険なバイデン家――この政権誕生を大歓迎し、トランプ氏を貶める日本のメディアを見ていると、私には溜息しか出てこない。

（二〇二一年一月号）

歴史に残る連邦最高裁の「使命放棄」

民主主義はこうして滅びていく――二〇二〇年十月以降のアメリカは、そんな壮大な映画を観させてもらっているかのようだった。

民主党のジョー・バイデン氏には中国による「一家ぐるみの買収」問題があり、すでにさまざまな告発や証拠も出ていた。息子、ハンター・バイデン氏が二〇一三年十二月、副大統領の父と共にエアフォース2で訪中し、その直後に設立された投資会社に巨額の資金が流れ込んだ……等々の件である。日本円で一千億円を超える巨額資金が中国から投資されるなど、とても常識では考えがたい話の数々だった。

だが米国ではメディアの九割が民主党支持。そのため、これらは時間が経過しても報道されなかった。ＳＮＳでも、バイデン一家と中国との癒着情報には規制がかかり、有権者には広がらなかった。さらにバイデン氏とのテレビ討論で、トランプ氏がこれを持ち出した途端、司会者が遮り、具体的な疑惑の中身には入らせなかった。上院には二〇二〇年九月にハンター氏のウクライナや中国との問題の報告書が公式に提出されている。それでも「報じられない」のだ。

選挙不正の問題に関しても、各州で公聴会が開かれたのに、扱いは小さく、関心をもってウォッチしている人間と一般の人には大きな情報格差が生じていた。

公聴会では宣誓証言が要求される。そのため虚偽である場合は処罰（注＝罰金もしくは五年以下の自由刑）の対象だ。もちろん職場や隣近所で波紋を起こす場合もあり、勇気を振り絞っての証言になる。そんな中で、集計機ドミニオンの不可思議な算出や死者による投票の具体例、ニセ投票用紙を運搬した人の直接証言など、衝撃的な話が飛び出した。

だが何といっても、不正選挙のありさまが監視カメラに捉えられたジョージア州フルトン郡の件が圧巻だった。突然、水道管破裂を理由に監視人たちが選挙スタッフに一斉退去させられ、その後、四人のスタッフが机の下から四つのスーツケースを引っ張り出し、そこに入っていた投票用紙をくりかえしスキャンするサマが映像に捉えられていたのだ。〝バイデンジャンプ〟と称される統計学上あり得ないバイデン氏の大量得票と時間もぴたり一致。他の激戦州でも、同様に未明に〝バイデンジャンプ〟は起きていた。

しかし、アメリカ民主主義崩壊の決定打は、連邦最高裁が放ったものが最も大きかっただろう。十二月八日、数々の不正行為が許せなかったテキサス州が、ペンシルベニア、ミシガン、ジョージア、ウィスコンシンの四州を訴えた件である。

四州が「大統領選の手続を不当に変更して選挙を歪めた」ために、正当な選挙を行った自分たちが「正当な選挙結果」を得ることができなかったというのである。「これは憲法の平等保護条項に違反している」として連邦最高裁に訴え出たのだ。この訴えには、全米で十八州が同調し、米下院の共和党議員百二十六人が支持表明し、意見書を提出した。連邦最高裁には、州最高裁からの上訴審としての立場と、憲法判断に関するもの、そして州同士の争いを裁くという役割があり、まさに連邦最高裁の「出番がやってきた」わけである。

十日には、訴えられた四州が答弁書を提出した。ペンシルベニア州は、「法律的にも、事実に関しても、テキサス州の訴えには根拠がない。これは司法手続の煽動的乱用だ」と猛反発した。

翌十一日、連邦最高裁の判断が出た。四州の側を支持し、「テキサス州には他州の選挙に訴訟を起こす法的利益がない。原告適格性を欠いている」として、これを退けたのだ。

九人の判事のうち審理を開くことに賛成したのは二人のみで、保守系判事六人のうち四人まで「開く必要なし」とした。九人のうち「最低四人の判事が賛成」すれば審理は開かれるので、たとえ造反者が二人いても大丈夫だっただけに、支持者は仰天し、失望した。

こうして本来、米国公民が持っている権利は否定され、最高裁は民主主義の崩壊に〝知らぬ顔〟を決め込んだ。これだけの数々の告発にも「結果が出た選挙は、不正があってもそれでよし」としたわけである。

バイデン勝利で高笑いするのは人権弾圧をくり返し、力による現状変更をおこない、建国百年の二〇四九年までに〝偉大なる中華民族の復興〟を実現し、世界の覇権を奪取すると広言する中国である。トランプ氏に追い詰められていたその中国が「息を吹き返した」のだ。

やがて世界の自由と人権は〝風前の灯〟になるだろう。私たちは、米国の連邦最高裁による使命と責任の「放棄」を決して忘れまい。

（二〇二一年二月号）

異論を許さない全体主義の恐怖

二〇二〇年十一月三日の米大統領選以降の日々は、「全体主義が勝利するとはこういうことなのか」という壮大な歴史ドラマを観ているかのようだった。

前述したように、連邦最高裁の使命放棄は、アメリカの民主主義終焉に「司法が加担した」という事例として長く米国史の汚点となるだろう。あれほどの証拠や宣誓証言で浮き彫りになった不正選挙が不問に付された時点で、米民主主義は瀕死の状態に陥った。

民主主義の根幹が「公正」である以上、それに疑念が呈されれば、真相究明を放置しては「次」には進めないからだ。二年後の中間選挙、また四年後の大統領選でも、同様に不正が罷り通り、二度と公正な選挙は行われないかもしれないのである。

しかし、二〇二一年一月六日の連邦議事堂侵入事件以降の出来事は、それをも霞ませるほど見るに耐えないものだった。アメリカが全体主義にここまで侵蝕されているかを嫌でも思い知らされたのだ。

あってはならない女性一人を含む五人の死者が出た事件である。だが侵入にあたっては、アンティファやＢＬＭなど左翼過激派集団が関わっていたとの告発がＳＮＳを通じて相次いだ。実際に女性死亡現場でアンティファ活動家が一部始終を撮影しており、のちに逮捕されたことも明らかになった。

そこで巻き起こった「トランプが暴動を煽った」という一種のヒステリー状態は、自由主義社会ではあり得ないほど異様なものだった。当日、トランプ氏はホワイトハウス前に集まった大群衆に対して演説をおこなっている。およそ七十分に及んだスピーチで、トランプ氏は一度も群衆を煽ってはいない。

「皆さんは、その声を平和的、かつ愛国的に聴かせるために、連邦議事堂へと行進するのです (I know that everyone here will soon be marching over to the Capitol building to peacefully and patriotically make your voices heard)」

トランプ氏は、わざわざここで〝peacefully〟という言葉を使い、人々に呼びかけている。だが、九割が民主党支持という偏った米マスコミはその部分を一切、報じなかった。その上で三週間以上前にツイッターでトランプ氏が呟いた〝wild〟という言葉を用いて「暴動を煽った」との印象を創り上げるのである。

勢いづいた民主党の行動は凄まじかった。いきなりナンシー・ペロシ下院議長を中心に、「弾劾だ！」「トランプを大統領から引きずり下ろせ！」との運動が起こり、実際に下院では弾劾決議がおこなわれた。

もちろん「暴動を煽動した」という事実確認もなければ、弁護の機会も与えられず、公聴会も開かれない上でのことである。中国の文化大革命もかくや、と思われる強硬な行動に民主党支持者は熱狂した。

「存在自体が気に入らない」「弾劾してやれ」「証拠？　人が死んだんだ。そんなもの関係ない」と言いたいのだろう。異論を差し挟めない全体主義の狂気がワシントンDCを覆った。当のペロシ氏は、

「錯乱した大統領はかつてないほど危険な状態にあり、我々は国や民主主義に対する偏向した攻撃から国民を守るためにあらゆる措置を講じなければならない」

そう言って解任と弾劾の必要性を強調した。錯乱しているのはどちらなのか、常識ある大人なら誰もがわかる話である。

だが驚くべきことはさらに続く。ツイッター社は「今後も暴動を煽る恐れがある」との理由をつけ、トランプ氏のツイッターアカウントを永久停止にした。ヒステリー状態

は、ニューヨーク市がトランプ氏の会社に契約解除を通告したり、映画界では、トランプ氏が出ている映画『ホーム・アローン２』から登場場面をカットしようという動きまで出た。写真からトロツキーや林彪（りんぴょう）の姿を消したソ連や中国と全く同じだ。私は抗弁する機会もなく殺された文革の犠牲者、劉少奇（りゅうしょうき）国家主席を思い浮かべた。まさか自由と民主主義のアメリカでこんなことが起きるとは信じられなかった。

だが真に懸念されるのは「これから」である。まだ胡錦濤主席の下、習近平氏が国家副主席だった二〇一一年八月から始まるバイデン氏（当時、副大統領）との親密関係、さらには息子・ハンター氏を通じてぶち込まれた巨額の中国マネー……これらが今後、アメリカの政策にどんな影響を与えるか、ということだ。

習近平とバイデンの関係は、台湾への電撃侵略を生むのか。そして苛烈（かれつ）になる一方のチベット、ウイグル、香港への人権弾圧、さらに尖閣から始まる日本侵略はどうなるのか。悪夢の四年間は今からなのだ。平和ボケ日本人に果たして「覚悟」は生まれるのだろうか。

（二〇二一年三月号）

『新潮45』休刊と日本のジャーナリズム

百人いれば百人の読み方がある

ＬＧＢＴをめぐる雑誌論文への批判を受けて新潮社は、二〇一八（平成三十）年九月二十五日、『新潮45』の休刊を明らかにした。

これまで、どんな圧力にも屈しなかった新潮社がなぜ、これほど脆弱（ぜいじゃく）な会社になってしまったのか、信じられない思いで眺めている。同時に、とんでもないことが起こったということも指摘しなければならない。

「とんでもない」とは、もちろん新潮社に対してであって、雑誌の中身に対してではない。すでに店頭に並んだ自社の雑誌に対して社長が「あまりに常識を逸脱した偏見と認識不足に満ちた表現が見受けられました」と声明を出し、早々と休刊の判断をしてしまったことに私は呆れ、絶句してしまったのである。出版社の社長が、こうした見解を表明することなど厳に慎むべきなのはいうまでもない。いとも簡単に反対勢力の批判に屈してしまったことで、新潮社は取り返しのつかない禍根を後世に残してしまった。

はじめに是非、考えてほしい重要なことがある。それは「百人いれば、百人の読み方がある」ということだ。

例えば拙著『死の淵を見た男』。これは、福島第一原発事故で陣頭指揮にあたった吉田昌郎所長をはじめ、この事故と闘ったプラントエンジニアたちの姿を描いた作品である。のちに明らかになった「吉田調書」をめぐっての朝日新聞と私との闘いを覚えている方もいるだろう。

私は「毅然と生きた日本人」をテーマにノンフィクションを書いているが、この本を「反原発の本だ」、あるいは、逆に「原発推進の本だ」と読まれた方もいる。読者の数だけ、読み方があるのは当然だ。私の真意はどちらでもないが、読者がどう読もうと、きちんと読んでもらっているのだから、一向に構わない。

私自身は反原発と原発推進、双方の主張に「一理ある」と考えている。つまり、そもそもどちらかに自分の立場を置いてあの本を書いたわけではない。

大切なことは、記事や書籍にはそれぞれの読み方があるということである。言論・表現の自由と共に、そうやって自由に読んだ上での「思想空間」もまた、同じように保証されるべきだということだ。

『新潮45』は、二〇一八年八月号で自民党の杉田水脈(みお)氏の「『ＬＧＢＴ』支援の度が過ぎる」という論文を掲載した。私がこの論文を読んだのはその夏、すでに世間の批判が巻き起こってからだった。タイトルにあるように論文は、国や自治体、あるいは、マスコミの「ＬＧＢＴ」に対する「支援の度が過ぎてはいないか」と問題提起しているものだ。

特に国が「ＬＧＢＴ」支援を意識し過ぎて少子化への対策その他がおろそかになっている点に警鐘を鳴らしている。そのなかでＬＧＢＴに「生産性がない」という一節があり、各方面から批判が巻き起こった。

杉田氏はＬＧＢＴに対する「支援の度が過ぎる」と言っている。本文全体を読めば、ＬＧＢＴを差別するという話ではないことが、私には分かった。

少子化政策への言及

テレビ番組『そこまで言って委員会ＮＰ』でも述べたが、私はかねて安倍政権の「少子化対策」は、全く不十分だと考えている。アベノミクスで就職率は上がった。経済も上向いてはいる。しかし、少子化に対する有効な手だては何も打てずにいる。

このまま少子化が続けば、統計上、二〇七〇年には日本の人口は、「六千五百八十一万人」に半減する。「未来の日本の姿」として、これをどう受け止めるか。日本人それぞれによって異なるだろうが、私は、これを打破するために日本の最重要課題として、時の政権は少子化に対して全精力を傾けて取り組まなければならないと思う。

池田勇人元首相の所得倍増計画ならぬ、「納税者倍増計画」が必要なのだ。このままでは納税者はどんどん少なくなってしまい、日本は小国へと転落していく。今こそ手を打たねばならないのに、実際には、何もできていない。

私がテレビ番組で述べたのは、第一子に子育て支援金として百万円、第二子には三百万円、そして第三子には一千万円を支給すべきだ、ということだ。

ＭＣの辛坊治郎氏には笑われ、竹田恒泰氏からは「門田さん、安過ぎます！　桁がもう一つ多くないと駄目ですよ」と言われてしまった。しかし、私は真剣だった。そうしたことをやらなければ「納税者倍増」なんてとても不可能なのだ。そのくらい重要な施策だと、今も思っている。

そんな思いを持っていた私にとって、杉田論文は意外だった。杉田氏といえば、安倍首相の肝いりで自民党議員として国会に返り咲いた人物だったからだ。その意味では「安倍系列の政治家」だといえる。

その人物が、「ＬＧＢＴへの支援の度が過ぎていないか」と、強烈に非難している。裏を返せば、少子化に対して、「あまりに無策すぎないか」と言っているのだ。

私のような読み方をした人は少ないかもしれない。しかし、同じように受け取った人もいるだろう。もちろん、杉田氏の論文にそうした直接的な安倍首相批判の文言はないが、少なくとも、私にはそう感じられた。

切り取り「炎上」手法

杉田氏はこう記述している。

〈行政が動くということは税金を使うということです。例えば、子育て支援や子供ができないカップルへの不妊治療に税金を使うというのであれば、少子化対策のためにお金を使うという大義名分があります。しかし、ＬＧＢＴのカップルのために税金を使うことに賛同が得られるものでしょうか。彼ら彼女らは子供を作らない、つまり「生産性」がないのです。そこに税金を投入することが果たしていいのかどうか。にもかかわらず、行政がＬＧＢＴに関する条例や要綱を発表するたびにもてはやすマスコミがいるから、政治家が人気とり政策になると勘違いしてしまうのです〉

この部分で杉田氏は猛烈な批判を浴びた。ここを「ＬＧＢＴへの差別だ」と感じる人もいれば、私のように「これは政権や行政機関の少子化無策に対する猛烈な批判だ」と受け取る人もいる。

杉田氏はあくまでも少子化に対して「無策」に等しい状況のなかで、税金をどこに重点的に充てるべきなのかという視点で書いている。子育て支援や子供ができないカップルへの不妊治療に税金を使うなら少子化対策に資するという観点はあって良いし、では、ＬＧＢＴのカップルに税金を使うことはどうなのか。そうした視点や考察を怠らないことがむしろ立法や予算に携わる人間には求められる、と言っている。

今のメディアは、行政がＬＧＢＴに関して条例や要綱、ちょっとした施策を発表しただけで、もてはやす傾向にあるのは事実である。こうした風潮が蔓延すると、政治家は人気取りの政策にできると勘違いしてしまいがちだ。そうしたなかで、ＬＧＢＴ支援の度が過ぎているのではないか、という問題提起を彼女はしたわけだ。

「百人いれば、百人の読み方がある」という意味では、ここを「ＬＧＢＴへの差別だ」

と感じ、それを批判する人の「自由」もまた認めなければならないが、そうした批判もまた論評の対象となる。

私は今回の非難を、一部の「言葉」や「文章」を引っ張り出して来てそれを論難する、一種の〝ストローマン手法〟（藁人形論法）だと思っている。ツイッター全盛時代の今、論文全体を読むことなく、一部を取り出して非難して騒ぎを拡大していく「炎上」手法は、特定の政治勢力が得意とするものだ。

出版社が「使命」を捨てた

八月号への批判が起こると、『新潮45』は十月号で「そんなにおかしいか『杉田水脈』論文」と題した特集を組み、これに反撃した。世間からの批判を「真っ向から受けて立つ」新潮社らしい編集方針と言っていい。

その中に、文藝評論家の小川榮太郎氏による得意の逆説的、かつ皮肉を交えた難解な表現を駆使した論文「政治は『生きづらさ』という主観を救えない」が掲載されていた。これが、さらなる誤解を生んだ。

私自身の感想を言えば、もっと諧謔的な表現方法で書けばいいのに、と思ったが、しかし、これが文藝評論家たる小川氏の文章の持ち味だ。編集部はそうした小川氏の力量を認めているからこそ執筆を依頼したのだろう。

政治は「個」の権利を際限なく拡大させてはならない、そんなことをしたら痴漢の権利さえ認めなくてはならない社会になってしまう、と小川氏は言いたかったのだろう。だが、これを逆に「痴漢をする権利を認めよ」と主張していると、あり得ない読み方をした人がいたわけである。

いずれにしても、賛否両論を巻き起こすことを承知の上での編集だったと思われる。しかし、ここに出版社の社長が出てきて、「あまりに常識を逸脱した偏見と認識不足に満ちた表現が見受けられました」と、これを一方的に断じ、外部の批判勢力を勢いづかせるような声明を出してしまったのだ。

出版社のトップが、編集内容に踏み込んで、いちいち外部に対して自らの見解を表明することなど、そもそもあり得ない。もの書きから見れば、いつ梯子（はしご）を外されるかわからないし、安心して言論戦を闘うことなどできないからだ。社長が何かを言いたければ、「内部」に対して言えばいい。それだけの話だ。言論・表現の自由の一翼を担う出版社には、いうまでもなく、批判に対する「対処の仕方」が求められる。それは「筆者と言論空間を守る」ということだ。これは絶対原則である。

新潮社がやったことは、その原則を捨て去ったということにほかならない。言論・表現の自由、さらには、読み方の自由に基づく「自由な思想空間」を守らなければならない出版社が、その根本に対する理解と使命を「捨てた」ということなのだ。

社内では、「外部に向かっての謝罪」を要求する編集者たちの突き上げを食らって、役員たちが右往左往し、ついには『新潮45』は「休刊」という恥ずべき手段をとった。新潮社の幹部の中には、自分で判断することもできず、外部の執筆者に相談して、「謝罪の上、『新潮45』を廃刊にするのが適当でしょう」とアドバイスされ、そのことをご丁寧にツイッターで「暴露」された者もいた。

新潮社の社員の中には、ツイッターで、あるいは、テレビに出演して、自らを「自分は差別主義者ではない」という安全地帯に身を置き、「言論・表現の自由」の重さも自覚しないまま、綺麗事の発信や発言を続けた人間もいた。

彼ら新潮社の後輩には、フランスの思想家であり、哲学者だったヴォルテールの以下の言葉の意味を知って欲しいと思う。

「僕は君の意見には反対だ。しかし、君がそう主張する権利は、僕が命をかけて守る」

言論・表現の自由がいかに大切かという本質を、十八世紀に生きたヴォルテールは語っている。たとえ自分の意見とは違っても、その人の言論や思想は守らなければならない。それは同時に「百人いれば、百人の読み方がある」ことを認めることでもある。

九七年にもあった新潮大批判

元『週刊文春』の名物編集長、花田紀凱氏との対談本『「週刊文春」と「週刊新潮」闘うメディアの全内幕』（ＰＨＰ新書）でも、いくつか似たような出来事を紹介させてもらった。

一九九七年、神戸の酒鬼薔薇事件で写真週刊誌『フォーカス』が犯人の少年の顔写真を掲載して新潮社が日本中からバッシングを受け、店頭から『フォーカス』ばかりか、『週刊新潮』まですべて撤去されたことがあった。

確かに少年法六十一条には、「氏名、年齢、職業、住居、容貌等によりその者が当該事件の本人であることを推知することができるような記事又は写真を新聞紙その他の出版物に掲載してはならない」とある。

しかし、総則の第一条には少年法の目的が明記してあり「この法律は、少年の健全な育成を期し、非行のある少年に対して性格の矯正及び環境の調整に関する保護処分を行うとともに、少年の刑事事件について特別の措置を講ずることを目的とする」(傍点筆者)と書いてある。つまり、この法律はあくまで「少年の非行」に対して定めたものなのだ。

では、子供の首を切断し、その頭部を中学の校門にさらすという行為は、果たして「非行」なのだろうか。誰が見ても、これは凶悪犯罪である。逮捕され、家庭裁判所に送られた少年であっても、家庭裁判所が「これはとても少年法の範囲内で扱える事件ではない」と判断すると、検察に送り返す、つまり「逆送」になる。ここで検察が少年を起訴すれば、少年は、少年法ではなく刑事訴訟法に基づいて、公開の刑事法廷で裁かれる。

連続射殺事件の永山則夫にしても、浅沼稲次郎暗殺事件を起こした山口二矢にしても、事件当時少年である。では、その少年の名前を、なぜ私たちは知っているのか。

マスコミに「実名報道」されたからである。四人を殺めることは、少年法のいう「非行」だとは誰も思っていないから、当時のマスコミは最初から顔写真つきの実名で報道した。ひと昔前の記者たちはそうした「常識」を持っていた。そんなマスコミが、いつから綺麗事だけを言うようになったのだろうか。

だが、酒鬼薔薇事件で敢然と問題提起した新潮社は、日本中から激しいバッシングを受けた。児童文学の灰谷健次郎氏などの作家が作品を新潮社から引き上げる騒動に発展し、社内でも、今回と同様、出版部の編集者を中心に大批判が巻き起こったのだ。

言論圧殺に白旗

当時の社長も同じ佐藤隆信氏だった。しかし、酒鬼薔薇事件当時の新潮社には、元『週刊新潮』編集長・山田彦彌（ひこや）氏や元『フォーカス』編集長・後藤章夫氏という編集出身の両常務がいた。外部の作家に動かされて安っぽい正義感を振りかざす編集者たちを、二人が〝一喝〟して、いささかの揺らぎも外部に見せることはなかったのだ。新潮社は一貫して「超然」としていたのである。

言論や表現の自由は、それ自体が民主主義国家の「根本」だ。たとえ反対する人間や政治勢力が大きかろうと、それをどこまでも守らなければならないという「毅然とした姿勢」が会社に貫かれていた。

しかし、今の新潮社には、おそらくその〝根本〟がなくなったのだろう。外部の作家の〝単純正義〟に踊らされ、自分たちの仲間である『新潮45』の編集長への厳罰を要求する署名運動まで社内で繰り広げられた末、同誌は休刊（廃刊）に追い込まれた。

これから新潮社社内には、「萎縮（いしゅく）」という名の絶対にあってはならない空気が蔓延するだろう。世の中に対して「超然」としていた新潮社がその矜持を捨てた今、日本のジャーナリズムが、大いなる危機に立ったことは間違いない。残念な事態というほかない。

言論と表現の自由が守られている日本では、ＬＧＢＴについても、今後、自由闊達に議論していけばいい。私は杉田論文を読んで、前述のように杉田氏が「少子化無策」に対して、あるいは、ＬＧＢＴへの支援に度が過ぎている行政や、それを後押しするマスコミに対して激しい怒りを持っている人物だとは思ったが、「ＬＧＢＴへの差別主義者だ」とは感じられなかった。しかし、それは「百人いれば、百人の読み方がある」なかで、私だけの感じ方であり、人に強要するつもりも、同意を求めるつもりもない。

だが、「これはＬＧＢＴへの差別だ」と声を上げ、その自由な言論空間を圧殺しようとする勢力に、新潮社はすすんで「白旗」を掲げてしまった。

かつて、どんな圧力にも負けない毅然とした社風を誇った新潮社で、私は思いっきり仕事をさせてもらった。それだけに、「なぜ新潮社はこうも見識を失ったのか」と、ただただ残念でならない。

（『正論』二〇一八年十二月号）

第二章

コロナで焼け太る習近平と官僚

「歴史の分岐点」に対処せよ

令和元（二〇一九）年は、やはり「歴史の分岐点」となった。そのことを指摘してきた私は、改めて歴史の重みを噛みしめている。

百年前の一九一九年は世界史の中でも画期的な年だった。第一次世界大戦が終結し、パリでヴェルサイユ講和会議が開かれた年だからではない。そこで人類史上、初めて「人種差別撤廃」が提案された年だったからである。人類の歴史とは、支配する側と服従する側との抗争と葛藤のそれでもある。武力によって、肌の色によって、文化の高低によって……さまざまな点で差別が横行し、悲劇の時を刻んできたのが人類の歴史だ。

しかし、ヴェルサイユ会議で初めて人種差別撤廃が提案されたのだ。出したのは、わが「日本」である。

白人が世界を支配する中、黄色人種である日本はこれを打ち破るべく、敢然とこの普遍的価値を国際会議で主張した。だが当時の国際社会で、アジアの小国・日本の意見が通るはずはなかった。

欧米にとって〝小賢しい日本〟は、それら人種差別大国から激しい非難を受け続け、第二次世界大戦で三百十万人もの犠牲者を出した上で敗戦を迎えた。だが、このことを世界で最初に訴えた偉業は歴史から消えない。

その百周年にあたる今年（二〇一九年）、まさに自由と人権、そして差別に対する闘いが火を噴いた。特に、香港で起こった中国への民主派の抵抗運動は歴史に特筆されるものだ。六月十六日の「二百万人デモ」、そして十一月二十四日の香港区議会議員選挙の「地滑り的圧勝」は、自由と人権を求める人類の闘いとして、間違いなく歴史に刻まれるものである。

そして国際調査報道ジャーナリスト連合（ＩＣＩＪ）が中国共産党の内部文書によって、中国政府が大規模監視システムを駆使し、わずか一週間で一万五千人のウイグル人を収容所送りにし、中国語を強制するなど人権弾圧を加え、習近平氏が「ウイグル人に情け容赦は無用」と督励したことも暴露した。

中国に対して無条件の国連監視団受け入れ要求や非難声明が英、仏、独などから出され、米では下院でウイグル人権法案が議論され、可決された。

ああ、やっぱり〝歴史の分岐点〟だった――。私は一連の動きを見ながら、さまざまなことを考えた。輪廻という言葉があるように「百年」の時を経て、やはり世界で差別や抑圧に対する闘いが本格化したことに思いを馳せたのである。

すでに二〇一九年十月、アメリカのペンス副大統領が米国民に「人権を弾圧する邪悪な中国共産党と闘おう」と演説で呼びかけ、前年の米中貿易戦争への宣戦布告に次いで人権戦争の発動を内外に宣言している。ヴェルサイユ体制百年後の世界は、かくして「人権をめぐる闘い」に突入したのである。

だが、当の日本はどうだろうか。欧米各国が中国の人権弾圧を糾弾する中、安倍政権は習近平氏の国賓来日の準備を着々と進め、国会は香港の自由と人権に対する闘いへの支援決議も、ウイグル人権問題への非難決議も何ひとつできなかった。

いや、国会では、総理主催の「桜を見る会」なるものに貴重な時間と税金が費やされ、国会議員の「使命」と「責任」は全て忘れ去られたかのような様相を呈した。

国会議員には、歳費をはじめ平均一人年間一億円超の税金が投じられている。自身の給料はもちろん、公設秘書の給料や文書費など活動費を合わせた額だ。果たして日本はこの歴史の分岐点にその使命を果たすことができるのだろうか。

臨時国会が終わる十二月九日、香港では六月九日から始まった大規模抗議デモからちょうど「半年」の節目を迎えていた。前日（十二月八日）のデモには八十万人の市民が参加し、

「昨日のチベット、ウイグル」
「今日の香港」
「明日の台湾」

そんな幟（のぼり）が掲げられた。香港でこの半年に拘束された市民は六千二十二人。年齢は最年少が十一歳、最高齢は八十四歳で、警察が撃ち込んだ催涙弾の数は実に一万六千発に及んだ。だが、自由と人権をかけて中国の弾圧と闘う彼らの気迫と闘志は、いささかも衰えていなかった。

百年前の日本人の偉業と、その先人の業績を無にする現在の国会議員やマスコミの姿を見ると、日本はやがて滅びるのではないか、とさえ思えてくる。

（二〇二〇年二月号）

「国難」を乗り切るにはまず国会改革

これを「国難」と呼ばずして何と言おうか。歴史上、中国王朝が疫病をきっかけに倒れていった例は少なくないが、まさか疫病のあおりで日本の政権が危うくなっているのは「皮肉」というほかない。

感染力が極めて強い新型コロナウイルスにもかかわらず、中国への配慮によって諸外国のように中国からの「入国禁止」措置を採れなかった安倍政権。数々の〝泥縄対策〟が国民の不興を買い、支持率急落の憂き目に遭っているのは周知のとおりだ。

だが、本当の国難とは、国会のありさまそのものではないだろうか。二〇一九年十一月からスタートした「総理と桜を見る会」への批判は、年が改まり、通常国会が始まっても延々と続いている。

二〇二〇年二月十七日、国会で安倍晋三首相が「不規則な発言をしたことをお詫びする。今後、閣僚席からの不規則発言は厳に慎むよう身を処していく」と謝罪したことに目を丸くした向きは少なくないだろう。

　どう考えても「謝罪すべきは逆の側だろ?」と考えるのが普通の感覚だからだ。十二日の審議で政策論もないまま立憲民主党の辻元清美氏が、「鯛は頭から腐る。頭を替えるべきだ」と質問終了時に言い放った。一国のトップに「腐る」という表現を用いたことは、国会の品位を汚すものであることはもちろん、常識ある大人がそもそも口にする言葉ではない。

「ちょっと待ちなさい。国会は罵詈雑言が許される場ではありません。国権の最高機関である。今の言葉を取り消しなさい」

　本来ならここで委員長が割って入ってそう辻元氏を窘める場面である。しかし、その動きはない。安倍首相が質問終了後、思わず「意味のない質問だよ」と呟き、マイクがこれを拾った。褒められるものではないが、野党に比べればまだましである。だが、国会のお粗末な点はそこからだ。

「罵った」側の野党が逆に謝罪を迫ったのである。日本では、この類いを〝居直り強盗〟と呼ぶ。

　しかし、自民党の国会対策委員長は、あの野党の掌で踊る森山裕氏。二階俊博幹事長と共に、野党と気脈を通じ、憲法改正問題をはじめ、安倍政権の足を引っ張り続ける御仁だ。そんな人物をいつまでも国対委員長という重要ポストにつけているのが、安倍氏本人。謝る必要もない案件で、こうして謝罪しなければいけない羽目になる。安倍氏の自業自得とはいえ、二階―森山コンビのお蔭で野党は増長を重ね、無意味な〝桜〟質問を続け、ヤジに関しても聞くに耐えない〝暴言〟をくり返しているのである。

二月四日の予算委員会もひどかった。黒岩宇洋議員が、安倍首相に耳打ちしようとした秘書官に対し、

「ちょっと、そこ、話さない！　そこ！　うしろ、うるさい！　そこ、関係ないでしょ？」

そう声を荒らげたのだ。この時も委員長は黒岩氏を制止しなかった。さすがに安倍首相はこう答えた。

「秘書官は様々な機会にアドバイスすることがあります。それに対して、怒鳴るというのは異常な対応ですよ。言葉を荒らげて秘書官に対して怒鳴るというのは、人間としてどうなのか。居丈高に仰るのは、やめた方がいいですよ」

子供には絶対に見せたくない呆れた場面である。

すっかり野党のターゲットになった北村誠吾地方創生相への質問やヤジもひどかった。

二月七日の予算委員会では、「答えてないじゃん！」「答えて！」「いい加減にしろ！」と、質問者だけでなく、後方から聞くに耐えない怒号が飛んだ。

まるで公開のイジメだ。そのうえ野党側は、北村大臣の答弁を問題視して委員会を退席し、審議もストップ。そのまま審議終了となった。傍若無人とはまさにこのことである。

議員である前に「人間としてどうか」というレベルの野党議員たち。そして、その増長を許す自民党執行部。さらには、新型コロナウイルスに対して中国への忖度から無為無策を露呈し、国民の命を危険に晒し続ける安倍政権——絶望の日本の国会とはこんなありさまだ。

いくら与党に三分の二の議席を与えても、憲法改正の発議さえできない。それどころか野党をさらにのさばらせ、国会を無意味なものにする自民党。確かなのは、コアな安倍政権支持者が愛想を尽かし始めていること。昨年の消費増税、そして新型コロナウイルス問題で、安倍政権は急速に支持者を失いつつある。「その先」の日本に何が待っているのかを考えると、背筋が寒くなる。

（二〇二〇年四月号）

霞が関官僚によって潰される日本

安倍政権の迷走が続いている。コロナによって安倍晋三首相が〝当事者能力〟をまるで失っているかのようだ。

二〇二〇年四月十六日、首相はコロナ対策として、国民一人あたり十万円の現金を一律給付するため令和二年度補正予算案を組み替える方向で検討するよう麻生太郎財務相に指示した。世論を見極めた公明党の山口那津男代表が官邸を訪れ、一律十万円給付を決断するよう求めてから、たった一日しか経っていない。

「二人はあらかじめ示し合わせていたのではないか」

政治部記者からそんな声さえ上がった突然の変更劇だった。官邸詰め記者によれば、

「四月七日に公表された政府の緊急経済対策があまりに評判が悪かったのです。国民の願いは消費減税と現金給付。二〇一九年十月に八％から一〇％に消費税が上がって一気に景気は冷え込みました。ＧＤＰの年率換算が十月～十二月期で前年比マイナス七・一

%に落ち込んでしまったんですからね。そこへコロナ。人の動きが規制され、経済活動も止まって、もはや誰の目にもリーマンショックどころではないことがわかっているのに百八兆円の史上最大の経済対策と謳(うた)いながら、実際の〝真水〟部分はたった十六兆円。消費減税もなければ、現金給付三十万円も住民税非課税世帯という全体の四分の一にしか渡らないお粗末なものだとわかってきた。国民の怒りを読んだ山口代表が突然首相のアポをとってやってきてパフォーマンスをおこなったわけです」

後述するように安倍首相は一月からコロナ対策に失敗し、当事者能力を失っている。二〇一九年五月に首相は「リーマンショック級が来なければ消費税を上げる」と言明している。それ以上のショックが来た以上は消費税を二年の時限立法で五%に戻すか、全品軽減税率を適用させるかに国民の期待は集まっていた。だが、

「財務省の強硬な反対でそれも叶わず、ならば〝それ以外〟で史上最大の経済対策を打つ、と麻生大臣と財務官僚に〝抵抗〟したわけです。しかし、それも中身は真水十六兆円というショボいもので、国民の評判は最悪。支持率も落ちて首相には憤懣(ふんまん)が溜まっていたわけです」(同)

山口氏と事前に打ち合わせをしていたか否かは別にして、国民一人十万円給付に首相

は「傾いていた」のである。しかし、最高権力者でありながら、なぜここまで首相は財務省に頭が上がらないのか。

「別に財務官僚だけじゃありませんよ。総理はもう霞が関官僚の言いなりです」

そう明かすのは、自民党のさる中堅議員である。

「菅原一秀さんや河井克行・案里夫妻の問題など、〝菅案件〟のスキャンダルが連続して、総理と菅官房長官との間に大きな溝ができてしまった。そのため総理は第一次安倍政権の秘書官時代から仕える今井尚哉・現補佐官、北村滋・現国家安全保障局長など、官僚の側近にしか耳を貸さない。彼らの話ばかり聞いているから国民の声などまるで反映されません。結果的に官僚の掌で踊るだけになってしまっているわけです」

二〇二〇年一月二十四日から自民党本部最大の九〇一号室では、コロナの対策会議が断続的に開かれ、衆参の議員たちが延々議論を闘わせた。そして今回の緊急経済対策でも、消費減税と一律現金給付を求めて激論が交わされた。しかし、これら激しい突き上げは、官邸への提言にほとんど生かされることはなかったのである。

そもそもコロナ対策は最初から失敗している、と同議員は続ける。

「経済対策は財務省が主役ですが、最初から厚労省が大失敗していますからね。武漢という一千万都市がロックアウトされる事態に、現地からは生々しい映像を含め、市民の命がけの情報がSNSで多数発信されていました。これは大変だ、と誰もが考えるのに、厚労省は人から人への感染はまだ確認されていません、過剰に心配する必要はありません、と言い続けた。武漢封鎖三日後の一月二十六日にも厚労省はホームページで〝心配は必要なし、手洗いとうがいを〟と国民に広報したんです。考えられません。早く中国全土からの入国を禁止せよ、という党の大半を占めた意見を厚労省と安倍総理は無視したんです。結局、一月に中国から史上最多の九十二万人の訪日客が押し掛け、日本で無症状感染者が蔓延(まんえん)してしまった。すべては、総理が官僚の言いなりだったからです。われわれ党の人間の〝現場の声〟になぜ耳を傾けてくれないのか、理解できません」

後手、後手にまわる対策。史上最長の政権が陥った〝官僚病〟に、日本が沈没しかかっている。

（二〇二〇年六月号）

祖国を「中国に売る」人たち

コロナ禍の数少ない人類への貢献は「中国の真の姿を世界に知らしめた」ことであるのは間違いない。国際社会の流れが、これを機に自国への中国による「工作」や「浸透」がどの程度のものであるかを検証することに繋がって欲しいと思う。その実態を知れば、おそらくどの国も唖然とするに違いない。

二〇二〇年一月、米司法省はナノテクノロジーの世界的な権威・ハーバード大学のチャールズ・リーバー教授を米国の科学技術研究の原則に反して中国に協力し、「虚偽の説明」によって米国に経済安全保障上のリスクをもたらしたとして起訴した。リーバー教授は、国防総省からも研究を受託していたにもかかわらず、中国・湖北省の武漢理工大学で機密研究に「協力していた」というのである。

中国が世界中から最先端技術の研究者や技術者を破格の厚遇で呼び寄せ、世界最高の研究をやらせていることはよく知られた話だ。昨年以降、その具体的な事例が次々と明らかになっている。なかでもリーバー教授は「大物」だっただけに学術界の話題を浚った。〝媚中派〟と呼ばれる人たちが政・財・官・学術・言論界などに沢山いて、それらが中国の指令によってさまざまな動きを見せるのは、実は日本だけのことではない。欧米先進国は、どの国も多かれ少なかれそれが〝あたり前〟になっているのだ。

読売新聞が二〇二〇年五月四日付一面トップでその詳細を報じていた。これを読んで恐ろしくなった読者は多かっただろう。記事では、日本もその「舞台」となっていることが当事者の談話も交えて暴露されていたからだ。

〈技術狙う中国「千人計画」〉と題された記事は一面と四面をぶち抜いて、中国が世界最先端技術の研究をしている技術者や教授たちをどんな待遇でどう招き入れているかをレポートしている。

ＡＩ（人工知能）を専門とする東工大元教授（七〇）は六年前に中国の国家プロジェクトへの参加を呼びかけられ、五年間で一億円の研究資金や給料、手厚い福利厚生など破格の待遇を提示され、中国に渡ったのだそうだ。これは中国の外専「千人計画」による。このプロジェクトには、恐ろしいことに世界中から毎年数千人の応募が殺到しているという。

この東工大元教授の研究は、無人機を使って攻撃したり、自爆したりすることに応用できるもので、「中国の大学は軍事技術を進化させる研究をして成果を出すのが当たり前だという意識が強い。外国の研究者を呼ぶのは、中国にはない技術の流出を期待しているからだろう」とのコメントも記事には紹介されている。

私は、破格の厚遇で共産党独裁政権に協力し、自国の脅威になるような技術と研究成果を提供しようとする科学者たちのモラルと意識について、考えざるを得なかった。周知のように日本学術会議は、日本国内では「戦争を目的とする科学の研究には絶対に従わない」と声明し、安全保障分野での研究や開発をタブー視してきた歴史がある。

しかし、その構成員である研究者たちは、日本の軍事研究にこそ協力しないものの、中国の軍事技術の発展につながる研究には何の抵抗もなく「協力する」のである。

研究者たちにも家族はいるだろうに、母国である日本を滅ぼすかもしれないそんな研究を「どんな思いでやっているのだろうか」と私は思う。

二〇一六年七月、中国は軍民融合戦略に関して「科学技術・経済・軍事において機先を制して有利な地位を占め、将来の戦争の主導権を奪取する」という方針を決定し、翌一七年一月には、習近平国家主席自らをトップとする「中央軍民融合発展委員会」を設立。海外でトップクラスの科学者や技術者を招いて猛然と中国軍の近代化を図っているのである。

中国の先端技術や軍事技術は、多くがこういう外国からの最先端技術者や研究者の囲い込みで、またスパイ活動によって得た情報や機密資料で、あるいは海外で活躍する中国人研究者らを呼び戻す方式（注＝彼らは〝海亀（ハイクイ）〟と呼ばれる）などによって支えられている。短期間で軍事力を質量ともに世界トップクラスにアップさせてきた秘密はそこにある。

コロナ禍は、はからずもこうした中国の動きに目を向けさせるきっかけをつくった。それは、国際社会が「ここで中国の増長を止めなければ大変なことになる」という共通認識の醸成に進み始めたことを示すものだ。世界を地獄に叩き落とした武漢肺炎の人類に対する数少ない貢献と言われる所以（ゆえん）がそこにある。

（二〇二〇年七月号）

中国はなぜ〝ヒトヒト感染〟を隠したのか

中国が隠蔽(いんぺい)していたのは何だったのか。多くの日本人は、中国が武漢肺炎そのものの発生を隠していたのではないかと考えている。

だが事実は違う。中国の隠蔽の対象がどこにあり、何から目を逸(そ)らせようとしたのか。そのことを多くの人に知って欲しい。

二〇二〇年七月十日、米FOXニュースで新証言が紹介された。渡米した中国の感染症専門家によって、新型コロナウイルス流行初期に「ヒトからヒト」への感染が起きていたが、中国当局により、「これが隠蔽された」ということが告発されたのだ。証言者は、香港大学公共衛生学院の感染症専門家の閻麗夢(えんれいむ)氏である。彼女はこう語った。

「(二〇一九年)十二月三十一日、中国当局はすでにヒトからヒトへの感染を把握していたのです。しかも、感染は非常に深刻でした。しかし、当局は誰にもこのことを公表することを許しませんでした」

私は、「ああ、やっと本当のことが報道され始めた」と思った。二〇二〇年六月に上梓した拙著『疫病2020』には、このあたりの事情を詳述させてもらったが、いまだに誤解が多いので改めて書かせていただきたい。

武漢市中心医院に勤める李文亮、艾芬（アイフェン）という二人の医師が謎の肺炎の情報を医師仲間で共有すべくチャットで発信したのは、二〇一九年十二月三十日のことだった。

患者からの感染を防ぐために医療最前線で情報を共有するのは当然である。だが、このことで李文亮医師は武漢市公安局武昌分局から、艾芬医師は病院内にある共産党規律検査委員会から共に呼び出しを受け、厳しい指弾を受けることになる。

「法に従い、あなたがインターネット上で事実に反する言論を発表した違法問題に対し、警告する」

これで李は訓戒処分、艾は譴責（けんせき）処分を受けたのだ。

これは謎の肺炎の発生そのものを隠蔽したと思われがちだ。だが、李医師が訓戒処分を受けた当日の二〇二〇年一月三日、CCTV（中国中央電視台）はこの事実をただちに全国放送している。李医師の名前こそ伏せたものの、医師たちの〝違法行為〟を報じ、同時に肺炎の発生を全国民に知らせたのだ。

このニュースは、武漢海鮮卸売市場の映像をくり返し流し、ここが「発生源であること」を強く印象づけるものだった。これは何を意味しているだろうか。

ヒントは放送当日、中国国家衛生健康委員会が武漢市にある武漢病毒研究所と武漢市疾病予防管理センターなどに対し、ウイルスサンプルの「破壊と移管を命じていた」という事実にある。のちに中国のニュースサイト『財新網』がスッパ抜き、ポンペオ米国務長官が反応し、記者会見でも厳しい糾弾をする〝もと〟になるものだ。

ウイルスサンプルの「破壊」と「移管」を国家衛生健康委員会が命じたのなら、中国はその存在自体を「隠したかった」ことになる。ポンペオ氏の指摘に対して当の国家衛生健康委員会は記者会見でこう語った。

「たしかに（二〇二〇年）一月三日に関連文書を出したが、これは原因不明の病原体による二次災害を防ぐためであり、サンプルの保存条件に満たない施設では、その場で破壊するか、専門組織に移すべきであると考えたからだ」

この弁明こそ急所である。つまりウイルスサンプルがこの時点で「存在」し、二次災害を防ぐために何らかの措置を命じたことを当局が「認めた」からだ。

李文亮や艾芬といった武漢市中心医院の医師たちへの呼び出しと処分、そしてCCT

Vの報道、さらには、ウイルスサンプルの国家衛生健康委員会による破壊・移管命令――当局はこれらを二〇二〇年一月三日までに集中的に行っていた。のちに判明するように、武漢の海鮮市場には、コロナウイルスの宿主のコウモリなど売られていなかった。だが当局はCCTVを通じてここが感染源であることを印象づけるのに成功する。

ウイルスが実験・研究している場所から漏れていることに目を向けられれば、〝自然発生〟に比べて補償等で大きなリスクを負ううえ「生物兵器ではなかったのか」等の疑念が大きくなっていく。さらには、ヒトからヒトへの感染が明らかになれば、拡大を防ぐためにWHOから職員が乗り込んでくるなど大騒動となるのは必至だった。まだ十分な対応もとっていない段階でそういう大ごとは避けたかったに違いない。

そして当局は隠蔽工作を完遂（かんすい）させた。だが、そのツケの大きさは改めて記すまでもない。二〇二〇年七月十三日、世界の感染者は遂に千三百万人を超え、死者は五十六万人となった。鎮静化の兆しは未だ見えない。無念の思いを呑み込んで死んでいった人々のためにも、中国の犯罪の「本質」はどうしても究明しなければならないのである。

（二〇二〇年九月号）

厚労省はなぜ国民の「命の敵」なのか

自宅等で悪化し死亡が急増　新型コロナ　一月だけで百三十二人――二〇二一年二月十三日、ＦＮＮからそんなニュースが流れた。

イギリスで感染力の強いコロナ変異株が発見され、世界に緊迫感が増していた頃、日本は入国緩和による〃フリーパス〃政策で二〇二〇年十一月と十二月の二カ月間で計「十三万六千人」の外国人が入国、再び感染が広がったのは周知のとおりだ。

だが、日本はフリーパスをやめ、入国管理を厳しくするのかと思ったら、さにあらず。全く無関係な〃ＧｏＴｏ〃を槍玉に挙げ、更なる医療逼迫（ひっぱく）を呼び込んだ。

その皺（しわ）寄せを受けたのが、都市部の新たな感染者たちだ。東京などでは自宅療養とホテル隔離が増加し、そこで「死に至る」ケースが目立ち始めたのだ。そのことを報じたのが冒頭のＦＮＮニュースである。

警察庁によると二〇二〇年三月から二〇二一年一月末までに自宅などで容体が悪化し

て亡くなった人は全国で二百五十四人で、〈特に一月は百三十二人にのぼり、全体の半数以上を占めたほか、一カ月間で初めて百人を超えた〉というのである。私は記事やネット、ツイッター等を通じて一貫してこの問題点を指摘してきた。

それは、自宅やホテルで隔離中に「治療も薬の処方もしてもらえない」という実態についてだ。赤痢やコレラより重いとされる「二類」相当の新型コロナが、いざ隔離されると放ったらかしにされ、〝各々、自己免疫力で闘え〟となるのだ。信じ難いことである。

「治療もしてもらえないまま重症化して命を落とす感染者が増えてくる」と危機感を覚えた私は、実際に一月下旬にホテル隔離になった人物（五十歳男性）に取材してみた。するると、こんな有様を伝えてくれた。

「ホテル隔離中に三九度五分の高熱になり、ホテルの別室でオンライン診療を受け、初期に効くと言われているアビガンの名を出して〝投与をお願いします〟と頼みましたが、〝そこは医療施設ではないので薬の処方はできません〟と断られました。

看護師に相談したら市販の風邪薬を渡されただけでした。翌日一旦下がった熱が再び上がって四〇度近くになり、〝早く入院させてくれ〟とお願いし、幸いベッドに空きが出たので、やっと入院させてもらえました。病院ではアビガンを投与してもらいましたが、最初の二回は九錠ずつ、あとは四錠という大量投与。しかし、さすがにあっという間に症状が改善しました。まだアビガンが効く時期でよかったです」

幸いにもこの男性はアビガン投与後六日目で退院し、自宅療養十日余りで、無事、職場復帰を果たした。

都の一月のコロナ死者は過去最多の二百五十九名。症状が悪化してからの入院では〝手遅れ〟になる人間がいるので当然だ。だが、なぜホテルを「仮の医療施設」として認め、早めに薬の投与をおこない、またそれぞれの地区の医師会に巡回チームをつくってもらうなど、隔離されている患者をケアしていかないのか。

厚労省はやっと二月二日、高まる非難を前に全国の自治体に対して一本の「事務連絡」を出した。在宅又は宿泊療養施設で〈治験薬ごとに、安全性に関する情報や投与経路等の特徴を踏まえ、安全な実施が可能かどうかを評価すること〉との内容である。つまり、入院前の隔離中でもアビガンやイベルメクチンなどの未承認薬の投与が可能になったのである。

厚労省のコロナ対策を一言で表わすなら「不作為」である。武漢で感染爆発し、中国からの入国禁止を打ち出さなければならない時に「武漢からの航空便に発熱と咳の有無を聞く質問票を配布する」という驚愕の対策でお茶を濁した厚労省。その後も、三七度五分以上の発熱が四日以上続かなければ受けつけない方針を出し、貴重な国民の命が手遅れで失われていった。

さらには人口比世界一の百六十万床というベッド数を誇りながら、民間病院や医師会の協力さえ取りつけられず、わずか三万床しかコロナに対応できない状態を続けた。また製薬業界以外の開発によるアビガンへの未承認という徹底的な苛めも酷かった。そして台湾や中国、ベトナムなどが実施している入国者の自己負担による「厳格なホテルでの二週間隔離」を政府方針に組み込むこともできなかったのである。

サリドマイド事件や薬害エイズ事件等々の過ちを一向に顧みない同省は、未だ専売特許の「不作為」を続けており、何ひとつ国民の命を守るために役立たなかった。これが〝秀才君〟や〝マニュアル君〟たちの寄せ集めである霞が関の実情だ。「自分たちは国家・国民のために存在する」という根本を彼らに気づかせることが、日本再生の第一歩だろう。

（二〇二一年四月号）

第三章

メディアの「反日」が止まらない

「秘密保護法」と「人権擁護法」どちらが怖い

のっけからスパイ映画の話で申し訳ないが、絶大な人気を誇っているミッション・インポッシブルや007シリーズなどで、よく題材にされるものをご存じだろうか。「機密情報の漏洩」である。スパイのエージェント情報や核ミサイルの暗号情報など、重大な機密が漏洩した中で、トム・クルーズ演じるIMFの諜報員イーサン・ハントや、あるいはMI6の007ことジェームズ・ボンドが、過激で、華やかな活躍をするストーリーだ。

守らなければならない機密情報の存在はそれほど大きく、そこには、必ず敵方と通じた内部協力者が登場する。派手なアクションと共に、それが「どんな機密情報なのか」が、ストーリーの中で大きな要素を占めている。失礼な話だが、今回の特定秘密保護法案の攻防を私はそんな映画を思い出しながら、見させてもらった。

日本は、まもなく国家安全保障会議(日本版NSC)を発足させる。やっと日本も「普通の国」に近づいたということだろう。

わが国には、北朝鮮や中国といった虎視眈々と日本を叩きのめそうとしている〝隣国〟がある。ある意味、韓国もその一つといっていいだろう。また、中東には、テロと切っても切れない関係の国もある。

不幸なことだが、それが国際社会の現実だ。そんな中で、どのように独立を守り、「領土」と国民の「生命・財産」を守るかは、国家の根本である。

私には、国会で繰り広げられた同法案をめぐる攻防が興味深かった。なぜなら、私はこれまでくり返し成立を期して登場する「人権擁護法案（別名・人権救済法案）」と比較しながら問題を見つめていたからだ。

民主主義には、「言論・表現の自由」が不可欠であることは言うまでもない。その根底には「国民の知る権利」がある。仮に特定秘密保護法が、これを脅かすものならば、先頭に立って反対しなければならない。だが、「言論・表現の自由」を脅かすものと言えば、この法律より遙かに人権擁護法案の方が怖い。

二〇一二年九月、民主党・野田佳彦内閣で、人権擁護法案（この時の名称は「人権委員会設置法案」）が閣議決定された時、ほとんどのメディアはこれを問題視しなかった。しかし、そのメディアが特定秘密保護法案には一斉に激しい反対の声を挙げたのである。

法務省の外局として強大な権限を持つ「人権委員会」が〝人権擁護〟の名の下に、メディアを規制し、裁判所の令状なしでジャーナリストたちに「出頭命令」や「家宅捜索」、あるいは「押収」などをおこなうことができる人権擁護法案。だが、それには反対しなかったメディアが、今回は唖然とするような大批判を展開したのである。私は、そこにメディアの欺瞞を見る。

忘れられない事件がある。一九八〇年代初頭に起こった「宮永スパイ事件」だ。陸上自衛隊の宮永幸久陸将補が、「ソ連に機密情報を漏らしていた」として逮捕された事件である。私が記者生活に入る直前に起こったこの事件の舞台が「神田駿河台」や「中野」といった私自身の〝生活圏〟の中で起こったことで、強烈な印象を持っている。

一定の場所にあるボックスなどを通じて機密情報を受け渡す〝デッド・ドロップ〟方式や、特定の場所に印をつける〝マーキング〟によって連絡をとる方法などが、私が日頃、通っていた道でおこなわれていたことを知り、まだ大学生だった私は仰天したものである。

その後、スパイ映画でそういうシーンが出てくるたびに私は宮永事件の現場となった神田駿河台や中野の風景を思い出した。

宮永事件に限らず、〝スパイ天国〟である日本には、情報漏洩の危険性を理由に同盟国から高度な機密情報が伝えられない時代が長くつづいた。機密を守る法律がない国――いわば国家のテイを「成していない」というレッテルを貼られ、日本は国際的機密情報からの〝孤立〟を余儀なくされてきたのである。

しかし、国家安全保障会議ができ、機密情報を同盟国と共有しなければならない時代にそれは許されない。国民の知る権利の大切さと、国際社会の現実を直視したテロ情報を含む「漏洩が許されない機密情報」との問題の線引きを、わかりやすく解説したメディアは、皆無だった。いつまで経っても「大人になれない」日本のマスコミが残念でならない。

人権擁護法案のような言論弾圧の法律には反対しなかったメディアの今回の異常な対応――いつまでもこのレベルでは、日本のメディアは、イーサン・ハントやジェームズ・ボンドにまず「講義」に来てもらうのが一番だろう。

（二〇一四年二月号）

スクープを誤報にした朝日

スクープと誤報の決定的な「差」はどこから来るのだろうか。ジャーナリズムの世界に長く身を置いていると、ふとそんなことを考える時がある。

たまたま手に取った『サンデー毎日』(二〇一四年六月二十九日号)の〈東電社員が明かす原発事故〝敵前逃亡〟の真相〉という三ページの記事を見て、そんな思いに捉われた。

それは、福島第一原発(通称「1F」)の事故の際、現場に踏みとどまって奮闘した作業員たちの姿を描いた『ルポ　イチエフ——福島第一原発レベル7の現場』の著者、布施祐仁氏が、二〇一四年五月二十日から朝日新聞が始めた「吉田調書」キャンペーン記事について、現場の声を取材して「彼らはけっして、吉田所長の命令に背いて〝逃げて〟などいない」と指摘していたからだ。

朝日新聞の「吉田調書」のキャンペーン記事は、あちこちで波紋を広げている。それまで表には出ていなかった「吉田調書」を手に入れたことは間違いなくスクープだっただろう。しかし、それを編集して記事化した時、スクープは一転、色褪せたものとなった。

朝日新聞は一面トップで〈所長命令に違反原発撤退〉〈福島第一　所員の9割〉という大見出しを掲げ、二面まで〈葬られた命令違反〉とブチ抜いて、所長命令に「背いて」現場から東電職員の九割が撤退したことが吉田調書によって「明らかになった」と報じたのだ。

世界のメディアは、即座に朝日の記事に反応した。「原発事故の際、日本人も現場から逃げ去っていた」と欧米のメディアが報じれば、韓国のメディアは「日本版セウォル号事件」、あるいは、「集団のために個人を犠牲にする日本のサムライ精神を自画自賛した日本の報道機関と知識人たちは、（朝日の報道に）大きな衝撃に包まれた」と大々的に報道した。

私は、朝日の記事を「誤報」と断じ、ブログやいくつかの雑誌で論評を書き、当の朝日新聞から抗議を受けた。ジャーナリズムの世界にいる人間として、本当にこの記事を残念に思う。

地震から五日目を迎えたあの二〇一一年三月十五日朝、免震重要棟に残っていた福島第一原発の職員や協力企業の人々は総勢で七百人あまり。総務、人事、広報……等々、女性職員を含む多くの事務系職員が外気の汚染が進む中、脱出の機会を失っていたのである。しかし、朝六時過ぎ、大きな音が響き、二号機の圧力抑制室（サプチャン）の圧力がゼロになって大量被爆の恐れが出た時、吉田所長は、彼ら、彼女らを福島第二原発に撤退させた。

前夜から福島第二の増田尚宏所長との間で、退避する職員を体育館に収容することなど、調整が重ねられた末のことだった。この直前に東電本店に乗り込んだ菅首相によって、「撤退したら、東電は一〇〇パーセントつぶれる。逃げてみたって逃げきれないぞ！」という怒りの演説があったばかりで、それは吉田氏の苦渋の決断にほかならなかった。

だが、朝日新聞は、吉田所長の命令は、「（1Fの）所内に限らず、近辺で線量の低いようなところに退避すること」であり、「9割の職員がその所長命令に背いて福島第二に撤退した」というのだ。だが、調書に残されている肝心の吉田氏の発言を見ても、「命令に違反して」職員が逃げた部分など、存在しない。

それはそうだろう。この日、放出された放射性物質は十八京ベクレルに達し、構内の放射線量も最大で毎時一万一千九百三十マイクロシーベルト（正門付近・朝九時）まで達している。そんな時、防護マスクが圧倒的に不足する中で、六百人を超える人々に「近辺で線量の低いところに退避」が命じられることなど、あるはずがないのである。

「バカらしくて話になりません。吉田さんの発言を曲解すればここまで書けるのかとわかり、呆れてしまいました。私たちは吉田さんの命令に従って、2F（福島第二原発）に移動したんです」

朝日に「命令違反で逃げた」とされたある技術系職員は私に悔しそうにそう呟いた。

せっかくのスクープを、どうして自らそんなものにしてしまったのだろうか。

〈吉田調書が残した教訓は、過酷事故のもとでは原子炉を制御する電力会社の社員が現場からいなくなる事態が十分に起こりうるということだ。（略）その問いに答えを出さないまま、原発を再稼働して良いはずはない〉

担当した朝日記者の主張を読んで、私は納得した。「再稼働反対」――原発反対派でも、推進派でもない私には到底、理解できないが、自分の主張に沿うよう「命令違反」に仕立て上げたのだろう。現場で奮闘した多くの作業員たちの思いと証言を聞き、本を書いてきた私には、「それでもジャーナリズムですか？」としか言いようがない。

（二〇一四年八月号）

産経スクープ「吉田調書」の衝撃

なぜ朝日新聞は、ここまで日本人を「貶めたい」のだろうか。私は、産経新聞が入手した「吉田調書（聴取結果書）」の全文を読んで、そう思った。

産経新聞が二〇一四年八月十八日付紙面で報じた内容は、驚くべきものだった。予想していたとはいえ、朝日が報じた「職員の9割が所長命令に違反して撤退した」という内容は、調書のどこを読んでも「出てこない」のである。

慰安婦報道につづいて、「吉田調書」でも、朝日新聞は〝事実〟をかえりみず、ひたすら原発事故の最前線で闘った現場の人々を「貶めた」だけだったのだ。

朝日新聞は二〇一四年五月二十日付の一面トップで〈所長命令に違反　原発撤退〉、〈福島第一　所員の9割〉という大見出しを掲げ、二面でも〈葬られた命令違反〉と追い打ちをかけ、所長命令に違反して現場から東電所員の九割が逃げたことが吉田調書によって明らかになった、と報じた。以来、三カ月。産経新聞がついにその「吉田調書」

を入手し、私はコメントを求められた。吉田調書の全文を手に取らせてもらった私は、読みすすめながら言葉を失い、ここまで〝悪質な報道〟をおこなう新聞が現に存在することに、心底怖くなってしまった。

しかし、五月二十日からの朝日の大キャンペーンによって、すでに世界のメディアは、「これは、日本版セウォル号事件である」、あるいは「原発事故の際、日本人も現場から逃げ去っていた」と報じ、今ではそれが完全に定着してしまっている。慰安婦の強制連行問題と同様、事実と異なる内容によって「日本人を貶めること」に朝日は見事に成功したのだ。

私は、拙著『死の淵を見た男』（ＰＨＰ）で、故・吉田昌郎氏に取材し、同時に九十名に及ぶ原発の職員たちに話を伺った。福島第一原発（１Ｆ）で起こった出来事は、日本の歴史に残さなければならないものであることは言うまでもない。その中で、名もない現場の人たちがどんな思いで、どう闘ったのか、その真実にできるだけ迫った。家族をはじめ、守らなければならない人々を持つ現場の職員たちが、「自分の死」を見つめながら必死に闘ったことに私の心は震えた。自分に果たしてこれができるのだろうか、と。

その人々に感謝することはあっても、「貶めたい」という思いを抱いたことはない。しかし、朝日新聞は違うのである。

あの二〇一一年三月十五日の朝六時過ぎ、二号機の圧力抑制室（サプチャン）の圧力がゼロになり、吉田所長は、1Fで最も安全な免震重要棟からさえ、職員を2Fに移動させなければならないところまで追い詰められた。菅首相が東電本店に乗り込み、「逃げてみたって逃げ切れないぞ。逃げたら東電は一〇〇％つぶれる」と演説をぶった直後のことだ。

放射性物質大量放出の危機に、吉田所長の命令によって、1Fにいた女性職員を含む総務、人事、広報などホワイトカラーと、現場職員たちがバスと自家用車を連ねて、2Fの体育館に一時退避したのである。

前夜から吉田所長と2Fの増田尚宏所長との間で「2Fの体育館で受け入れる」という話し合いの末の行動だった。それを朝日は「彼らは所長命令に違反して撤退した」との虚偽を、世界中に流布したのである。

実際の吉田調書には、自分の命令に違反して所員が撤退したなどというくだりがないどころか、吉田氏はこう述べている。

「関係ない人間（筆者注＝その時、1Fに残っていた現場以外の多くの職員たち）は退避させますからということを言っただけです」

「2Fまで退避させようとバスを手配したんです」

「バスで退避させました。2Fの方に」

吉田所長は、朝日の報道とは真逆なことをくり返し述べているのである。また、吉田氏は調書の中で、「本当に感動したのは、みんな現場に行こうとするわけです」と、危機的な状況で現場に向かう職員たちを何度も褒めたたえている。それは、私が吉田氏に取材で聞いた内容とほぼ同じだった。

私は、朝日の報道内容に対して、「そんな事実はあり得ない」という論評を雑誌に発表した。だが、朝日新聞からは、「謝罪のうえ訂正せよ。しなければ、法的措置を検討する」という内容証明を送りつけられた。

ジャーナリストの櫻井よしこ氏は、自民党での講演で、日本の過去と現在と未来に対して謂われなき中傷をつづける朝日新聞は、「廃刊すべきだ」と述べた。私もその通りだと思う。朝日新聞をどうするのか――今や日本人にとって、自分たちの名誉と国際的な信用を守るために、本気で考えなければならないことだと、つくづく思う。

（二〇一四年十月号）

「社長辞任」でも朝日は何も変わらない

二〇一四年十一月十四日、吉田調書誤報事件に関して、第三者機関「報道と人権委員会」（ＰＲＣ）の提言が出たのを機に、木村伊量（ただかず）・朝日新聞社長が辞任した。

私は、「今後も、朝日は何も変わらないだろう」と思いながら、この報を聞いた。

改革に乗り出そうとした木村氏は、これまで慰安婦報道を放置してきた歴代社長に比べれば、はるかに立派だったと思う。朝日は、「済州島で慰安婦狩りをした」という自称・山口県労務報国会下関支部元動員部長の吉田清治氏の証言を皮切りに、日本軍が「八万とも二十万」ともいわれる「朝鮮人女性」を戦場に「強制連行」して、「慰安婦にした」という大キャンペーンを繰り広げた。その報道は、ついに国際社会を動かし、今では〝性奴隷（sex slaves）を弄（もてあそ）んだ日本人〟として、世界のあちこちに慰安婦像が建ち、国連の人権委員会からも勧告を受けるまでになった。

あの貧困の時代、兵士の三十倍もの収入を保証されて、春を鬻（ひさ）ぐ商売についた女性たちは、日本にも朝鮮にも、数多くいた。もちろん、喜んでなったわけではなく、さまざまな事情があった薄幸な女性たちである。

彼女たちへの同情は、多くの日本人に共通するものだ。だが、朝日は、彼女たちを実態とは全く異なる「日本軍に強制連行された存在」として、手を替え、品を替えて報じつづけた。そして、ついに韓国世論を動かし、今では両国の関係は、完全に破壊されてしまっている。

当コラムでも何度も書いているように慰安婦の「強制連行」とは、拉致・監禁・強姦の意味である。嫌がる婦女子を連行すれば「拉致」であり、慰安所に閉じ込めれば「監禁」であり、意に沿わない性交渉を強いれば「強姦」だからだ。日本を糾弾したい彼の国の応援を受けて、朝日は、「事実を捻じ曲げて、日本を貶めること」に成功した。

しかし、真実が徐々に明らかになり、「強制連行」をこれ以上、主張できなくなった時、朝日は突然、これを引っ込め、「広義の強制性があった」と言い始めた。

「えっ、強制連行はどうなったの?」「〝広義の強制性〟ってなに?」と、多くの日本人は開いた口が塞がらなかった。

その慰安婦報道に決着をつけて「再出発したい」というのは、まさに木村氏の悲願だったのだろう。しかし、同時にこの問題を真正面から取り上げたら、朝日が吹っ飛んでしまうことを木村氏は知っていたと思う。

朝日の報道によって日本人が受けた損害は、金額で換算するなら天文学的なものとなる。今更、「これ、間違っていました」は、通らない。八月五日、六日付の検証記事が中途半端になったのも、また猛烈な国民の批判が湧き起こったのも、必然だっただろう。

木村氏が二〇一四年八月二十八日に社員向けに送ったメールは、悲愴な叫びでもあった。

〈私の決意はみじんもゆらぎません。絶対ぶれません。偏狭なナショナリズムを鼓舞して韓国や中国への敵意をあおる彼らと、歴史の負の部分を直視したうえで互いを尊重し、アジアの近隣諸国との信頼関係を築こうとする私たちと、どちらが国益にかなうアプローチなのか。改めて問うまでもないことです〉

社内どころか、販売店まで動揺する中、木村氏は社員にそういうメールを送ったのだ。

しかし、私はその内容を知って、平和を愛し、先人を敬い、家族や郷土、そして国を愛するという大多数の日本人の心が、「偏狭なナショナリズム」としか捉えられない人に「改革」はとても無理だと思った。

朝日の得意技に〝レッテル貼り〟がある。朝日を叩いているのは、「右翼」であり、「偏狭なナショナリズム」であり、自分たちはあくまで「平和」を愛する「リベラリスト」だという実に手前勝手な捉え方である。

私は、朝日社内にいる友人から興味深い話を聞いた。一連の朝日批判は、社内では「産経史観」という言葉を用いて語られているのだそうだ。「最近、〝産経史観〟に負けているが、時が経てば、また盛り返せる」と。未だに相手にそんなレッテルを貼り、自分たちだけ「正しい」という論が社内で罷(まか)り通っているのかと、私は思わず笑いそうになった。

自分たちの主義主張のためには、事実を曲げてもいい、という朝日的体質は、今後もなくならないだろう。

二〇一四年十二月には、慰安婦報道に対する第三者委員会の提言も出る。それを待たず、吉田調書報道へのＰＲＣの提言時点で辞任した木村氏。それは、いかに朝日的体質を正すことが難しいかを物語っている。やはり、朝日新聞は国民のために解体すべきなのだ。

（二〇一五年一月号）

『文藝春秋』「植村手記」が問うもの

これほど合点がいく、つまり、読者の胸にストンと落ちる「手記」は、そうはないだろう。

ご存じ、慰安婦報道で長く糾弾されてきた朝日新聞元記者の植村隆氏が『文藝春秋』二〇一五年一月号に寄せた『慰安婦問題「捏造記者」と呼ばれて』という手記のことである。

私は朝日の慰安婦報道に、「なぜ事実を曲げてまで、日本を貶めたいのか」と、大いなる疑問を持つ一人だ。当コラムで何度も書いてきたように、日韓関係を完全に破壊してしまった朝日の一連の慰安婦報道に対して、悔しく、情けない思いをしてきた。

あの貧困の時代、さまざまな事情で春を鬻ぐ商売についた薄幸な女性たちは数多くいた。社会保障も未発達で、日本の大きな町には必ず〝色街〟があり、今からは想像もできない「公娼制度」が存在していた時代である。娘の身を泣く泣く売らなければならなかった親、そして本人の心情を考えると胸が締めつけられる思いがする。

〈慰安婦大募集　月収三百圓保証　委細面談〉。兵隊の給料が十圓ほどの時代に、その三十倍の収入を保証したそんな広告が当時の朝鮮で頻繁に出され、商売についた女性たちが数多くいた事実は、忘れてはならない。

本当に不幸な時代だったと思う。彼女たちには、多くの日本人が今も深い同情を寄せている。しかし、そんな女性たちのことを、日本軍、または日本の官憲によって「強制連行」された被害者であるという〝虚偽のストーリー〟を書きつづけた新聞があった。

朝日新聞である。強制連行とは、本人の意思に反して連行されることだ。その上で慰安所に閉じ込められ、意に沿わない性交渉を強いられたのなら、すなわち「拉致」「監禁」「強姦」の被害者ということになる。国際的に、慰安婦が「性奴隷（sex slaves）」とされ、日本が国連で賠償・謝罪の勧告まで受けた「理由」がそこにある。そのもとになったのが、朝日の一連の報道だったのだ。

二〇一四年八月、朝日は「私は済州島で慰安婦狩りをした」と告白した山口県労務報国会下関支部の自称・元動員部長、吉田清治氏を取り上げた十六本の記事を誤報と認めて取り消した。しかし、植村氏が書いた元慰安婦、金学順さんの記事については、「女子挺身隊」と「慰安婦」を混同・誤用したことについては認めたものの、謝罪もおこなっていない。

その当の植村氏本人が初めて手記を書いたのだから、私はすぐに読ませてもらった。そして、失望し、落胆した。手記は弁明に終始し、その上、こう書かれていたからだ。

〈私は一度も金学順さんについて、「強制連行」とは書いていない〉

えっ？　本当か。私はその文章に目を吸い寄せられた。植村氏はこの手記において、自分は「強制連行とは書いていない」と二度、記述していた。

問題となった植村氏の一九九一年八月十一日付朝刊の記事を読み直してみた。そこには、「ソウル10日＝植村隆」と署名入りで、冒頭からこう書かれている。

〈日中戦争や第二次大戦の際、「女子挺身隊」の名で戦場に連行され、日本軍人相手に売春行為を強いられた「朝鮮人従軍慰安婦」のうち、一人がソウル市内に生存していることがわかり、（以下略）〉

〈「女子挺身隊」の名で〉〈戦場に連行され〉、日本軍人相手に〈売春行為を強いられた〉というのは、「強制連行」ではないのか。金学順さんのことを説明するための第一文から、植村氏は署名入りでそう書いている。ひょっとして、植村氏は自分の書いた記事を忘れているのだろうか。私は愕然とした。

『文藝春秋』の手記には、ほかにも〈「負けるな植村！」私の何が悪かったのか〉と題して、自分が標的とされている理由を韓国人と結婚し、義母が詐欺事件で逮捕・起訴されたことなどが「四項目」にわたって記述されている。

そして、〈歴史の暗部を見つめようとする人々を攻撃し、ひるませようとする勢力が二〇一四年の日本にいる〉と書いている。

自分を被害者と置き、反撃しているのである。だが、真実は、こうではないだろうか。

〈事実をねじ曲げてまで日本を貶め、日韓関係を破壊した勢力に対して、歴史の真実を捉え、誇りを取り戻そうとする日本人がいる〉

今後、氏は反日勢力のシンボルとなり、韓国と連携して日本の名誉を貶める活動がおこなわれていくのではないか、と危惧する。

私は、手記を読みながら、「ああ、あの慰安婦記事を書いたのは、やはり、こういう人だったのか」と、ストンと腑に落ちたのである。

（二〇一五年二月号）

中・韓と一体化した朝日の主張

二〇一五年を私はいつもの年よりも感慨を持って迎えた。「戦後七十年」という節目の年であると同時に、さまざまな意味で、「転換点の年」になるだろうからだ。

日本は戦後七十年だが、国際的には、韓国と中国にとって「抗日戦争勝利と朝鮮半島の独立回復を祝う年」であり、ロシアにとっては「ドイツのファシズムと日本の軍国主義に対する戦勝記念の年」でもある。

連合国と枢軸国（すうじくこく）が戦った第二次世界大戦から七十年が経過し、共産主義圏と自由主義圏との対立と冷戦の時代を経て、世界は今、まったく新たな局面を迎えている。

中国がソ連崩壊を教訓にして、他国との軋轢（あつれき）や環境破壊をものともせず、共産党独裁体制における〝赤い資本主義〟を達成した。周辺諸国は、強大な経済力と軍事力を背景にアメリカとの「新型大国関係」を築こうとする中国の膨張主義と否応なく向き合わなければならない時代を迎えたのだ。

私は、この前年である二〇一四年に、慰安婦と吉田調書という二つの大きな報道で、「朝日誤報事件」が勃発したことに、運命的なものを感じている。朝日新聞だけにとどまらず、業界全体に大きな「新聞不信」を招いてしまったこの事件は、実は、中国の対日戦略に齟齬（そご）を生じさせている。

朝日新聞を読んでいれば、中国の主張はだいたいわかる。朝日の主張は、中国のそれとほぼ一体化しており、日本国内にあって日本そのものを責める役割を朝日が果たす図式は長く繰り返されてきた。中国にとって不都合なもの、つまり不利になるものには、朝日が日本で必ず非難の先鞭（せんべん）をつけてくれるのだ。

たとえば、この春、日本では新型護衛艦『いずも』が就役（しゅうえき）する。ヘリコプター五機が同時に離着陸できる巨大な甲板を有する『いずも』は、言うまでもなく海上自衛隊が保有する最大の艦船となる。建造には、一千億円を超える国民の血税が使われた。

この存在が直接の脅威となるのは、中国である。さっそく『いずも』の存在を日本の「右傾化」を証明するものとして批判を展開したが、朝日新聞も、しっかりと、〝いつもの〟役割を果たした。

〈どう見ても空母だが、防衛省は「空母ではない」という。どういうこと？〉〈能力や構造は空母そのもの〉と『いずも』を揶揄し、「世界標準では空母そのもの。政府は政治問題化するのを恐れ、なし崩し的に拡大解釈しているのでは」という軍事ジャーナリストのコメントを紹介して、中国の見解をアト押しした。昨年のはじめにこの記事を目にした私は、今年もどんな形で朝日は中国を応援していくのだろう、と思った。しかし、朝日誤報事件が起こり、昨年の後半は、朝日は防戦に終始せざるを得なかった。

中国と韓国が世界中で日本批判の〝歴史戦〟を展開する二〇一五年を前に朝日新聞が〝こけた〟ことは、本当に両国にとって痛かっただろう。だが、正念場の年が明けて、朝日新聞は二〇一五年一月三日に、劣勢をはね返すべき乾坤一擲の社説を掲げた。

〈日本人と戦後70年　忘れてはならないこと〉と題した全六段にわたる長文の社説だ。

そこでは、「過ちを犯さなかったと強弁することは自己欺瞞であり、自らを辱めることでもある」という劇作家の言葉まで引用し、こう記した。

〈このところ政界でも社会でも、東京裁判を全否定したり、旧軍の行為をひたすら正当化したりする声が大きい。まるで、大日本帝国の名誉回復運動のように〉

〈うわべだけの「帝国の名誉」を叫ぶほど、世界は日本の自己欺瞞を見て取る。この不信の連鎖は放置できない。断ち切るのは、いまに生きる者の責任だ〉

多くの読者は、えっ？　と思ったに違いない。そんな「大日本帝国の名誉回復運動」なるものが本当に存在するのか、誰も知らないいからだ。日本のなかで「過ちを犯さなかったと強弁する」人や、あるいはこの少子化の時代に、しかも綱渡りのような厳しい財政運営のなかで戦争をしようとしている人が誰かいるのだろうか。もしいるなら、それが誰であるか、朝日には是非、説明してもらいたい。

暮れに出た慰安婦報道の第三者委員会の報告書では、朝日の論理のすりかえの手法や、運動体と化したかのような〝角度をつける〟記事、さらには、歪曲（わいきょく）してまで相手にレッテルを貼るやり方などが、厳しく指弾された。

「存在しない敵」をつくり上げ、危機感を煽（あお）り、それによって自らを「正義の立場」に置いて自分に酔いしれ、中韓と同一化した主張で日本を貶（おとし）める――この一年、またその朝日の手法をじっくり見させてもらおうと思う。

（二〇一五年三月号）

「戦後七十年の夏」に思ったこと

ああ、繰り返されてきた不毛な争いはこれからも続くのか——そんな思いを強くした「戦後七十年」の夏だった。

私は、「なぜ日本のマスコミは、自分の国にこれほど中・韓との争いを続けさせたいんだろう」と考えながら、ひと夏を過ごした。

それは、なぜ日本人自身が「中国、韓国が日本の糾弾を続けるように仕向けるのだろうか」という意味である。二〇一五年八月十四日に発表された安倍談話は、長い検討の末に出されたものだけに、さまざまなものに配慮したものだった。先の大戦への反省を「侵略」という言葉で表現し、戦後日本の平和の道を踏まえ、新たな針路を明確に示したものだった。

「いかなる武力の威嚇（いかく）や行使も、国際紛争を解決する手段としては、もう二度と用いてはならない。植民地支配から永遠に訣別し、すべての民族の自決の権利が尊重される世界にしなければならない。先の大戦への深い悔悟の念と共に、わが国は、そう誓いました」

「戦時下、多くの女性たちの尊厳や名誉が深く傷つけられた過去を、この胸に刻み続けます。だからこそ、わが国は、そうした女性たちの心に、常に寄り添う国でありたい。二十一世紀こそ、女性の人権が傷つけられることのない世紀とするため、世界をリードしてまいります」

私が心に残ったのは、犠牲になった人々に対し、「国内外に斃れたすべての人々の命の前に、深く頭を垂れ、痛惜の念を表すとともに、永劫の、哀悼の誠を捧げます」と語り、さらに「あの戦争には何ら関わりのない、私たちの子や孫、そしてその先の世代の子どもたちに、謝罪を続ける宿命を背負わせてはなりません」と、真の意味での和解と未来への建設的な思いを語った部分だった。

それは、繰り返されてきた過去の首相談話などの「お詫び」に引けをとらないものであり、実にわかりやすく、印象的なものだった。

さすがに朝日新聞でさえ、

〈安倍談話　中韓　批判は抑制的〉〈中国、強い表現避ける　韓国、関係改善へ苦心〉

そう報じざるを得ないものだったのである。だが、新聞を繰るうちに、私は、暗澹たる思いになった。日本の新聞は、どうしても、日本と中国・韓国との間に争いを生じさせなければ「気が済まない」からである。

その朝日の八月十五日付社説は、〈戦後70年の安倍談話　何のために出したのか〉と題して、談話は〈極めて不十分な内容〉であり、〈侵略や植民地支配。反省とおわび。安倍談話には確かに、国際的にも注目されたいくつかのキーワード〉は盛り込まれたが、〈日本が侵略し、植民地支配をしたという主語はぼかされ〉、よって、〈この談話は出す必要がなかった。いや、出すべきではなかった。改めて強くそう思う〉と主張したのである。

毎日新聞や東京新聞も、朝日の社説と似たり寄ったりだった。テレビの報道も、これに追随していた。実際の談話を聞いていた多くの日本人が「溜息をつかざるを得ないもの」だったと言える。

私は、日本の新聞が大いに評価している二十年前の村山談話を思い出した。代々の日本の首脳が折々に表明してきた謝罪や談話の末に戦後五十年の村山談話は出た。それはマスコミも「満足するもの」だったが、では、その村山談話で、中・韓との関係はどうなったたろうか。以前より改善したのだろうか。

事実は「逆」である。村山談話以降の二十年間で、両国との関係は、逆に「最悪」になった。なぜだろうか。

どんな談話を出そうが、日本のマスコミが「関係改善」の足を引っ張るからである。日本への憎悪と嫉妬を持つ両国に「怒り」を起こさせるべく、ひたすら報道するのだ。世界から見れば、七十年もの間、繰り返し謝罪をおこなってきた日本の姿勢は、「理解を超える」ものだろう。あの植民地獲得競争が繰り広げられていた時代、植民地支配をおこなったどの国もしないことを「日本だけ」がやり続けているからである。

七十年の歳月とは何か。フランスが長く続いたアフリカの植民地支配にピリオドを打ったのは、一九六〇年のことだった。もし、それから七十年後の二〇三〇年が来ても、「謝罪しなさい」と言われたら、フランスは「はあ?」と首を傾げるだろう。

誠意を尽くしてもそれを認めず、自国を窮地に落とし込もうとするメディアの存在は、未来の日本人に何をもたらすのだろうか。多くの日本の若者が無念を呑んで死んでいった歴史が、いつまで〝政争の具〟になり続けるのだろうか。そんな思いに捉われた「戦後七十年の夏」だった。

（二〇一五年十月号）

共謀罪は天下の「悪法」なのか

またか。そんな〝既視感〟にとらわれる向きは少なくないだろう。今国会で与野党激突の最も大きなテーマとなっている「共謀罪」をめぐる攻防で用いられる「言葉」について、である。

「かつての〝治安維持法〟のように、冤罪も含め一般人が疑いをかけられるリスクが高まる」

二〇一七年一月十六日、民進党は、通常国会の開会を前に共謀罪の構成要件を厳格化した「テロ等準備罪」を新たに設ける組織犯罪処罰法の改正案をめぐる会合を開いた。その冒頭、山井和則・国対委員長は、そんな発言をおこなったのだ。

治安維持法——戦前、戦中を通じて、言論や思想弾圧のために利用され、国民を震え上がらせた、かの悪名高き法律である。山井氏は、「(犯罪を)企んだだけで捕まえるには、あまりにも対象が広範囲だ」と指摘し、国会での全面対決を宣言した。

私が、「またか」と思うのは、「治安維持法」が、彼らの口から度々、出て来るからだ。記憶に新しいのは、朝日新聞をはじめ多くのメディアが「これが施行されたら、日本は暗黒の時代になる」と、三年前に反対の大キャンペーンをくり広げた特定秘密保護法だ。その折に使われたのも、この「治安維持法」だった。歴史に残る悪法を例に出し、「いま出ている法案は、それと同じだぞ」と、人々の恐怖心に訴えかける手法だ。一種の「霊感商法」である。

熱心な新聞読者の中には、二〇一三年暮れに成立し、翌年に施行された特定秘密保護法によって、本当に「暗黒の時代がくる」と思った人は少なくないだろう。それは読売や産経といった一部メディアを除いて、「国民の知る権利が侵害される」という異常なほど同一の論調に占められていたからである。

私も、仮にこの法律が本当に国民の「知る権利」を侵すものなら、大問題だと思う。だが、同法には、スパイ活動防止法すら持たない日本に対して、軍事・テロ情報などの「提供」と「共有」を望む米国など同盟国が要請する「法整備」という重要な意味もあった。国民の生命・財産を守るのが国家の役割ならば、同法をどう捉えればいいのか、国民は、この相反する利害について、正確な情報をもとに判断したかったはずである。しかし、大半のメディアは、「国際的要請」という点に全く触れないまま、ただヒステリックに「治安維持法の再来」を訴え続けた。では、その暗黒の時代とやらは訪れただろうか。来たのは、中国や北朝鮮といった「自由」「人権」「民主」という近代民主主義国家とは共通の価値観を持ち得ない国の脅威であり、一般市民を狙う国際テロが世界を覆う不気味な時代である。つまり、むしろ同法の「必要性」を証明するものだったと言える。その時代に、「国民の生命と安全をどう守るか」ということのために出てきたのが「共謀罪」にほかならない。

私は、特定秘密保護法騒動から三年を経て、今回の攻防が始まることが興味深い。なぜなら、また滔々と「暗黒の時代」を説くメディアや政治家が出てくるだろう、と思ったからだ。案の定、冒頭の山井氏の発言の中に「治安維持法」が出てきた。反対のための反対、対案なき野党、敵を利するための議論……私は常々、日本を貶め、他国を利するためにおこなっているとしか思えない政治家の言動やメディアによる報道を疑問に感じている。簡単に言えば、「日本人の命をなぜ危機に晒したいのですか」「日本をなぜそこまで貶めたいんですか」と、根本から聞いてみたいのである。

街の中にある監視カメラに対して、「監視社会の到来」「国家によるプライバシー侵害」

「政治的意図を持ったカメラ設置」などと、さんざん反対を唱えたのは、同じ人たちだった。平穏に暮らす人々を犯罪から守るための方策が、彼らには弾圧の〝一形態〟にしか映らないのである。

政治、文化、スポーツ……とジャンルを問わず、国際的な大きなイベントには、必ず「テロの危険」がつきまとう嫌な時代になった。私たちは東京五輪に向けて、浮かれるのではなく、万全の対策を取らなければならない。それでもテロに見舞われるなら仕方ないが、少なくとも悔いのない方策は講じておきたい。

一九七二年のミュンヘン五輪の時に、イスラエル選手団が選手村に侵入してきた過激派の人質となり、「犯人五人射殺、人質全員死亡」という事件があったことが思い出される。平然と無差別に「一般市民」相手のテロがおこなわれる時代となった今、時の政権に打撃を与えることだけに汲々（きゅうきゅう）とした旧態依然とした野党やメディアは、果たして生き残っていくのだろうか。

国民の命を守るためにはどうすべきか。そのことを考える真の政治家たちの国会論議に心から期待したい。

（二〇一七年三月号）

マスコミは「歴史の検証」に耐えられるのか

この異常な政権叩きは、間違いなく「歴史に残るもの」である。田中（角栄）政権末期も、竹下（登）政権末期も相当なものだったが、これほどではなかった。マスコミは、ほとんどすべてが〝アベノセイダーズ〟のメンバーと化した感がある。

マスコミにとって、二〇一八年九月の自民党総裁選での「安倍三選阻止」は至上命題らしい。憲法改正や電波オークションを阻止するために、テレビも新聞も雑誌も、すべてが「タッグを組んで」安倍政権打倒に走っているのである。しかし、ここまで徹底してくれると、むしろわかりやすくていい。ネットでは、「アベノセイダーズ」やら「アベガー」やら、なんでもかんでも、安倍首相のせいにして、政権を倒そうとしている人たちのことがそう揶揄（やゆ）されている。国会を〝揚げ足取り〟と〝吊るし上げ〟の場としか考えていないような、お粗末なレベルの野党議員に対しても同様だ。

安倍打倒のためなら、たとえ理屈に合わなくても、利用できるものは何でもいいのである。その意味で歴史の検証に晒されるのは、ジャーナリズムの本来の存在意義や役割を見失い、単なる「政治運動体」と化した朝日新聞をはじめとするメディアの側だろう。

今、メディアと野党に安倍政権が退陣を迫られている案件は、主に三つある。財務省による公文書改竄事件、自衛隊イラク派遣の日報問題、そして愛媛県職員が残していた総理秘書官による「首相案件」発言である。いずれも、突きつめれば「これでなぜ政権トップの責任が問われるの？」という類いのものだが、印象操作の只中にある国民には、それが見えてこない。

まず財務省による公文書改竄事件で、公開された改竄前文書を見て驚いた向きは多かったのではないか。

なぜなら、報道とは逆に、森友学園の土地の八億円値下げに対する安倍夫妻の〝潔白〟が証明されたものだったからだ。改竄前文書には、「本件は、平成25年8月、鴻池祥肇議員（参・自・兵庫）から近畿局への陳情案件」という但し書きがくり返し登場する。鴻池氏以外にも、鳩山邦夫、平沼赳夫という政治家の名前が登場し、鳩山氏や平沼氏の秘書が近畿財務局へ働きかけを行っていたことも詳細に記述されていた。だが、安倍夫妻の関与は出てこない。

つまり、これは安倍案件でもなんでもなく「鴻池案件」だったのである。産経新聞は、鴻池事務所の「陳情整理報告書」に、同年九月九日付で鴻池事務所が籠池氏に近財への陳情結果を詳細に伝えていたことが記載されている事実を裏付け報道している。

さらに、改竄前文書には、二〇一六年三月に「新たなゴミが出た」と、それまでのゴミとは別のものが出たと学園側が言い出し、「開校に間に合わなかったら、損害賠償訴訟を起こす」とまで迫られていたことも記述されている。完全な脅しである。

それでもメディアと野党は、いまだに安倍首相が「〃お友達〃のために八億円値下げさせた」と、言い張っているのである。

自衛隊イラク派遣部隊の日報問題は、さらに奇妙だ。二〇〇三年から五年余にわたったイラク派遣は、小泉、第一次安倍、福田、麻生の四政権時代の話であり、第二次安倍政権とは関係ない。ここでは、機密性が高い日報公開の必要性の議論は措くが、いずれにしても、現在の政権の責任が問われる理由は存在しない。

そして、愛媛県職員による総理秘書官「首相案件」発言報道もおかしい。アベノミクスの成長戦略の柱の一つは、規制緩和だ。官僚と業界が一体化して既得権益を守る岩盤規制に穴をあけることが国家戦略特区構想には含まれており、もとより「首相案件」なのである。

そもそも愛媛県と今治市が共同で国家戦略特区を使って「国際水準の大学獣医学部新設」を提案したのは、総理秘書官との面会の二カ月後のことであり、なぜ首相案件という言葉が「加計学園への便宜」になるのか、マスコミはきちんと説明して欲しい。

いま日本は、新聞とテレビだけに情報を頼る〝情報弱者〟と、インターネットも情報源としている人たちとの間に「情報と意識」の大きな乖離（かいり）が生じている。つまり、野党がいくらヒステリックに安倍退陣を叫んでも、それに踊る人間は情報弱者だけなのだ。世論調査が現実を映（うつ）し出さず、選挙をやってみたら、結局、「与党の勝利」となることがそれを表している。

現実を見据（す）えるリアリスト（現実主義者）と、観念論だけのドリーマー（夢見る者）との戦い、いわゆる「DR戦争」の傾向は、日本でますます顕著になっている。いずれにせよ、今回の狂騒曲が終わった時、事実（ファクト）を報じるという基本を忘れたメディアが受けるしっぺ返しは、とてつもなく大きいだろう。

（二〇一八年六月号）

令和も「反日ジャーナリスト」の抵抗は続く

令和の時代も、日本では「反日ジャーナリスト」たちの闘いが続くのだろうか。そんな思いを抱きながら、私は新元号に対する内外の報道をウォッチさせてもらった。興味深かったのは、外国メディアが報じた新元号に対する論評である。

アメリカのAP通信が「中国古典に依拠する伝統から訣別したのは、安倍政権が極右だからである」と報じれば、同じくCNNは「国書を選択したのは、安倍首相による保守的政治基盤へのアピールにほかならない」と論評し、イギリスのデイリー・メール紙は「新元号の語源は、国家の威信の増大を狙う安倍首相の保守的な行動計画を映し出している」と報じた。

外国メディアの記者たちのスタンスが透けてみえて、本当におもしろい。彼らは、なにも青い目の人間ばかりではない。黒い目の〝立派な日本人〟がその仕事を担っている場合もある。日本の元新聞記者だったり、通信社の記者、あるいはフリーランスの記者などがそのまま外国メディアに転籍したり、雇われたりするケースは意外に多い。だから、外国メディアの報道といっても、必ずしも外国人の見方であるとはかぎらない。

だが、青い目であろうと黒い目であろうと、彼らは「反日」という点で共通している。多くの場合、彼らは「日本が嫌い」なのだ。

その〝偏向ぶり〟が浮き彫り(ぼ)になった例として、二〇一八年十一月十六日、外国特派員協会でおこなわれたジャーナリストの櫻井よしこ氏の記者会見が挙げられる。

元朝日新聞記者で慰安婦報道に関わった植村隆氏が記事を捏造(ねつぞう)と書かれ、名誉を傷つけられたとして櫻井よしこ氏らを訴えていた裁判で、札幌地裁は「（櫻井氏の記事は）真実であると証明されているか、事実の重要な部分を真実と信じるについて相当な理由がある」として櫻井氏側の全面勝訴とした。

外国特派員協会はこの日、櫻井氏を呼んで記者会見を開いたのだ。その際に櫻井氏を「有名な歴史修正主義者で、日本会議支持者である」と紹介した。偏見に満ちた紹介であり、礼を失したものでもある。

これに対して、櫻井氏は穏やかな口調でこう語った。

「司会の方は私をリーディング・リビジョニストというふうにご紹介なさいました。このこと自体が、私は、ある種の価値判断を持って一方的な見方をしているのではないかと思います。そして、日本会議のことを言いましたけれども、私は日本会議とはなんの関係もありません。今日これからのお話の前の大前提が間違っているということをまず指摘したいと思います。リビジョニストというのは歴史を書き換える、自分の都合のよいように書き換えるということです。私が歴史を書き換えているとは全然思っていませんし、むしろ歴史を書き換えようとしているのは朝日新聞であり、植村さんであったというふうに感じております」

自分たちが会見に招いた人物に対する非礼さもさることながら、同協会が一定の方向性を持つ組織であることを窺わせてくれる典型的な事例だったと言える。

では、新元号に対して日本のメディアはどうだったのだろうか。これらの外国メディアと同調することが多い朝日新聞や毎日新聞の報道を見てみると、これがまた実にわかりやすい。両紙とも、やはり冒頭の外国メディアと同じく新元号が漢籍に由来しなかったことがお気に召さないのだ。二〇一九年四月二日付の朝日が、〈首相がこだわる国書を選び、談話も自ら発表した。そんな姿勢に元政府関係者は眉をひそめる。「時の首相の思いが強調される形になるのは避けた方がいい。元号は時の政権のものじゃなくて国民のものなんだから」〉と書けば、翌三日付の毎日は、〈新元号 紙開けば両端に国書 事務方説明 にじむ「令和」推し〉という見出しのもとにこう書いた。〈6案の提示の仕方や、事務方による説明の内容からは「国書を典拠とした初の元号」を目指した形跡もみえる〉

要は、国書を典拠にしたのが不快なのだ。世界で元号を使用するのは、もはや日本だけであり、世界に誇るその文化遺産を「和書に求める」のに異を唱えるメディアの目的は、ずばり「反日」である。日本そのものを「貶(おとし)めたい」人々の基本構造がそこには見てとれる。だが、ネット時代は彼ら反日勢力のこともすでに炙(あぶ)り出しており、「ああ、まだそんなことをやっているのか」と、多くの日本人を呆(あき)れさせるばかりだ。

令和の時代も反日勢力の抵抗は続くだろう。しかし、平和を愛し、伝統と秩序を重んじる日本人はそんな煽動に揺らぐことはもうあるまい。なぜなら、とっくに彼らの浅薄さとやり口など、お見通しなのだから。

（二〇一九年六月号）

「表現の不自由展」は何が〝歴史的〟だったのか

あいちトリエンナーレが二〇一九年十月十四日、閉幕した。開会三日で中止された企画展「表現の不自由展・その後」が最後の一週間で再開されるなど、終始話題を提供してくれたイベントだった。

この騒動は、日本の芸術史ではなく、〝マスコミ史〟に残るものとなった。それは、どれほど指摘を受けようと、大半のマスコミが「肝心の展示物の真実を報じなかった」ということに尽きる。新聞も、テレビも、問題の本質を伝えず、一貫して「慰安婦を象徴する少女像の展示に反対する人々が表現の自由を圧迫している」というスタンスで問題を報じ続けた。

NHKに至っては、表現の不自由展再開に反対し、座り込みまでした河村たかし・名古屋市長が手に持つ〝日本国民に問う！　陛下への侮辱を許すのか！〟というプラカードを「映さない」というところまで徹底されていた。報道機関としての使命の放棄だ。

議論や論評の際、相手の意見や対象物を正しく表現しなかったり、引用しないまま、その「歪(ゆが)めた内容」に基づいて反論するやり方はストローマン手法（藁(わら)人形論法）と呼ばれる。だが日本のマスコミは、日常的にこの手法を用いており、その意味では展示物の内容が正確に報じられなかったのは珍しいことでもない。

しかし、一方で当該の展示物がインターネットで「映像」として、あるいは実際に観た人の「感想」として報じられており、新聞やテレビとは異なる実相がすでに多くの人に把握されていた。そして国民から「マスコミは真実を伝えよ」という大合唱の中、七十五日間という長期にわたりマスコミがこれを無視したことが特筆されるのである。

私自身、企画展が中止になる八月三日に実際に展示物を観たが、反日プロパガンダに徹した極めて特異な作品群だった。髑髏(どくろ)が昭和天皇を見つめている版画、また正装した昭和天皇の顔が白く剥落(はくらく)され、背景には大きく赤で×が描かれた銅版画、そして昭和天皇の肖像がバーナーで焼かれ、燃え上がっていくシーンが映し出される映像作品もあった。奇妙な音楽が流れ、なんとも嫌な思いが湧き上がる中、やがて燃え残りが足で踏みつけられる。ほかにも、テントのようなかまくら形の外壁の天頂部に出征兵士に寄せ書きした日の丸を貼りつけ、まわりには憲法九条を守れという記事や靖國神社参拝の批判記事、あるいは安倍政権非難の言葉などをベタベタと貼りつけ、底部には米国の星条旗を敷いた作品もあった。タイトルは「時代の肖像——絶滅危惧種 idiot JAPONICA 円墳——」。「idiot」とは「愚かな」という意味であり、「絶滅危惧種」たる愚かな日本人の墓を表わすものだろう。

慰安婦を象徴する問題の少女像には、英語の解説文で「Japanese Military Sexual Slavery」(日本軍の性奴隷制)と記されており、史実とは全く異なるものだった。慰安婦には朝日新聞が主張したような強制連行などなく、まして「少女が性奴隷になった」というのは虚偽以外の何物でもない。すべては軍需工場などに勤労動員された「女子挺身隊」を慰安婦と混同した朝日の大誤報から始まったものである。私は、極めて特異な反日勢力による作品群であることを感じた。

問題は、これらの作品が国民の税金を使って展示されることの是非である。日本人の税金が十億円も投入され、公の施設で開かれる「公共のイベント」で、わざわざ他国が主張する「虚偽の歴史」のアピールをする意味は何だろうか、そのことに納税者は納得するのだろうか、と考えざるを得なかった。

しかし、マスコミの大半は反対の河村名古屋市長を「悪」、これを規制するのは検閲にあたるとする大村秀章・愛知県知事を「善」とする一方的な報道を貫いた。

二〇一九年十月十六日付の朝日の社説は、河村市長を激しく批判した上でこう論じた。

〈慰安婦に着想を得た少女像や昭和天皇を含む肖像などが燃える映像作品に対して、「日本へのヘイト」との批判も飛び出した。これもあきれる話だ。表現の自由への過度な制約にならぬよう、規制すべきヘイト行為とは何か、社会全体で議論を重ね、定義づけ、一線を引いてきた。明らかにそれに当たらない作品をヘイトと指弾することは、蓄積を無視し、自分が気に食わないから取り締まれと言うだけの暴論でしかない。ゆるがせにできない課題が数多く残されている。閉幕で一件落着ということにはできない〉（傍点筆者）

韓国批判は〝ヘイト〟、日本を侮蔑することは〝表現の自由〟という日本のマスコミが持つ「二重基準」を見事に表わす文章である。朝日新聞には、そんな倒錯（とうさく）した論理が通用する時代はとっくに終わっていることが今もわからないのである。

（二〇一九年十二月号）

朝日の「歴史への大罪」と終戦の日

令和二年の「終戦の日」には、特別の意味があった。夕方近くになっても途切れない靖國参拝者の長い列を見ながら、私は「時代は変わった」との思いを強くした。

かつてこの日に靖國神社に参拝すると言えば、「おまえ、右翼か?」「頭がおかしいんじゃないか」……そんなことまで言われたものだ。

靖國参拝＝軍国主義礼讃とのレッテル貼りが徹底され、マスコミには、そのことに疑いを持つ人さえいなかった。

だが、国のために命を落とした先人が祀られている神社に行くことがなぜ「右翼」だったり、「頭がおかしい」とされてしまうのか。どう考えてもおかしい。

たったひとつの「命」を、愛する家族のため、国のために捧げた人々に、後世の私たちが感謝の気持ちを表わし、亡くなった人々の無念を想像し、共有するのは当然の行為だ。後世の人間にとって、自然におこなわれるべきもののはずである。しかし、日本では、それが許されなかったのだ。

なぜだろうか。私は翌八月十六日付の朝日新聞の社説を読みながら、改めてそのことを考えた。閣僚四人が参拝したことに対し、〈政権全体の歴史観が問われる事態〉と断じた上で、こう書かれていた。

〈戦争の犠牲者を悼む気持ちは誰も否定しない。だが、軍国主義を支えた国家神道の中心的施設を、現在の政治指導者が参拝することは、遺族や一般の人々が手を合わせるのとは全く意味が異なる。靖国神社には、東京裁判で戦争責任を問われたA級戦犯も合祀されている。侵略の被害を受けた国々を中心に、日本が過去の過ちを忘れ、戦前の歴史を正当化しようとしていると受け止められても当然だ〉

十年一日がごとく朝日は同じことを書いている。だが靖國を外交カードにしている中国と韓国以外で、どこが「過去の過ち」を日本が忘れ、戦前の歴史を「正当化しようとしている」と考えているのだろうか。もしあったら教えて欲しい。

戦後七十五年に及ぶ日本の真摯で誠実な経済活動と外交姿勢は、アジアで大きな信頼を勝ち取り、各種の調査でも、中国や韓国を圧倒的に引き離す好感度ナンバー・ワンの国になっている。

そして、朝日が東京裁判をなぜここまで「信奉」しているのかも私には疑問だ。勝者が敗者を裁くあのセレモニーをすべて正しいとするのは歴史学の観点からも異常だし、原爆投下に関わった米指導部には「仮に戦争に負けていたら、私たちが戦犯だっただろう」という有名な回想があることでもわかる通り、裁判の結果を「唯一絶対」のものとしてはならないことは明らかだ。

日本の新聞でありながら、靖國が東京招魂社として吉田松陰を含むペリー来航以来の国事殉難者を祀る神社であることも、更には、今では祀られる英霊は二百四十六万柱を超え、家族と国を守るために尊い命を捧げた先人の魂が集う場であるとされることも一切触れない。そのことを理解し、説明できる人が朝日にはいないのだろうか。

だが、それらの疑問は、靖國問題を引き起こしたのが朝日自身であり、それが「日本を窮地に追い込むこと」が目的だったことを知れば、すべて氷解するだろう。

昭和六十年夏、当時の中曽根康弘首相の〝戦後政治の総決算〟を阻止するため朝日が靖國問題を引き起こしたことが私は忘れられない。

それまで靖國参拝など知りもしなかった各国に〝ご注進〟して〈靖国公式参拝、アジア人民傷つける〉、〈過去を直視し未来へ生かそう〉、〈靖國公式参拝、「違憲の疑い」一転

ホゴ　中曽根内閣〉（以上八月十五日朝刊）、〈「新しい戦前始まった」と靖國公式参拝で社党委員長〉、〈「公式」の集団、足音高く〉（以上同日夕刊）……と目が眩むほどの異常な紙面を展開した朝日。中国はこれに呼応して、ついに靖國問題を外交カードにするに至るのである。

私たち日本人は原爆投下の責任者がアーリントン墓地に、また通州事件の関与者が八宝山革命公墓に埋葬されていても、絶対にクレームをつけたりはしない。家族と国のために働いた人々をどう悼み、どう讃えるかは、その国の独自の文化であり、民族の財産だからだ。だが朝日は先人の無念さえも、日本を貶める材料にして中国と韓国のための紙面づくりを今も続けている。

昨今、朝日の部数激減が顕著だ。これは、そのことを感じる人がいかに多くなっているかを表わす指標ともいえよう。この数字を楽しみに、これからも朝日をウォッチしていくとしよう。

（二〇二〇年十月号）

野党ヒアリングという〝暴力〟は許されるのか

一本の音声データが波紋を広げている。二〇二〇年十月四日、森友学園に関する決裁文書の改竄(かいざん)問題で自殺に追い込まれたとされる財務省近畿財務局職員の遺族が上司の音声データを大阪地裁に提出したのだ。

職員の死後、上司が遺族に語ったこの音声は、報道陣にも公開された。マスコミは「これで再調査が必要になった」と安倍政権と財務省の責任を追及する論陣を張った。いつもの〝印象操作〟である。

だが、当初からこの問題の本質を追及するジャーナリストたちは、一般の報道とは全く異なる感想を持った。「ついに自殺の本当の原因と思われるのが出てきたね」というものだ。それは、極論すれば、野党ヒアリングという〝暴力〟がいつまで許されるのか、という問題でもある。

詳細に入る前に簡単に森友問題を振り返ろう。もともと無所属と共産党の二人の豊中市議が「教育勅語を暗唱させるような幼稚園を豊中に来させるわけにはいかない」と始めたものだ。ローカルな豊中市議らの政治的思惑からスタートした問題である。

当該の土地は大阪空港騒音訴訟の現場であり、最高裁まで争った末に国が土地を買収。国にとっては、できれば売却したくて仕方がない土地である。売れれば御の字で、実際に当該の土地の隣は民主党政権時代、実質九八・五％の値下げで豊中市に売却され、現在、公園になっている。国から買収用の補助金がブチ込まれ、最終的に豊中市の負担額は二千万円に過ぎなかった。

しかし、マスコミは森友学園への土地に安倍首相のお友達に対する値下げという〝疑惑〟をつくり上げた。籠池泰典氏と安倍首相は面識もないのに、「お友達への国有財産の八億円値下げ」なるストーリーである。

さて、当の上司の告白を聞いてみよう。ＮＨＫの「ＮＥＷＳ　ＷＥＢ」には公開された音声データが出ている。

「あの売り払いをしたのは僕です。国の瑕疵が原因で小学校が開設できなかったら損害額が膨大になることを考えた時に相手に一定の価格、妥当性のある価格を提示し、納得できれば丸く収まる。撤去費用を試算した大阪航空局が持ってきたのが八億円だったので、それを鑑定評価額から引いたというだけなんです」

この部分を聞いただけで膝を打つ人もいるだろう。改竄前文書が明らかになった時、価格交渉が暗礁に乗り上げた際の籠池夫妻の抗議が記されていたことだ。「とんでもないことを言うな。学校建設は中止。訴訟する」「新たに地中からダイオキシンが出たという情報もある。とんでもない土地であると踏まえて金額を出すべきだ」と夫妻は近畿財務局に迫っている。

財務局側が譲歩し価格が決まったのは二週間後の二〇一六年六月一日。上司は延々続いたこの交渉を語っているのだ。そして政治家についてこう告白する。

「僕は安倍さんとか鴻池さんとかから声が掛かっていたら、売るのはやめていると思います。だからあの人らに言われて減額するようなことは一切ないです」

これも注釈が必要だ。騒動の渦中で公開された当の改竄前文書には、これが「鴻池案件」と呼ばれていたことや、実際に近畿財務局に連絡してきたのは鴻池祥肇(よしただ)、平沼赳夫、鳩山邦夫の三氏だったことが記されていた。もとより安倍首相の名など全くないのだ。

その上で、上司は改竄理由をこう語る。

「少しでも野党から突っ込まれるようなことを消したいということでやりました。改竄なんか、やる必要もなかったし、やるべきではありません。ただ追い詰められた状況の中で少しでも作業量を減らすためにやりました。何か忖度(そんたく)みたいなのがあるみたいなことで消すのであれば、僕は絶対に消さないです」

つまり上司は、改竄理由が野党にあったことを吐露しているのだ。国会では野党が安倍首相や佐川局長を糾弾し、同時に公開ヒアリングと称して官僚を吊るし上げるニュースが続いたことを思い出して欲しい。

彼らは二〇一八年三月五日、近畿財務局に乗り込んだ。福島瑞穂（社民）、森ゆうこ（自由）、今井雅人（希望）、森山浩行（立民）、桜井周（立民）の五氏だ。近畿財務局に入った彼らは数時間も居座り、職員らの写真を撮り、押し問答を続けた。

また東京では翌六日、杉尾秀哉（民進）、小西洋之（民進）の両氏が財務省に乗り込み、約一時間、職員を吊るし上げている。

当該職員の自殺はその翌日の三月七日のことである。

野党やマスコミが今回のことで再調査を要求しているので私も賛成したい。ただし、テーマは「野党議員吊るし上げの弊害」だ。自分たちの行動で人々がどれほど傷つき、国益が損われているか。是非、国会で激論を交わして頂きたい。（二〇二〇年十二月号）

第四章

司法は国民の敵か味方か

偽善に満ちた最高裁判決

いわゆる婚外子相続格差違憲判決（二〇一三年九月四日、最高裁）で、私は驚いたことが二つある。一つは、大法廷に揃った十四人の最高裁判事が全員一致でこれを「違憲」としたことであり、もう一つは、大手新聞が、一紙の例外もなく、この判決を「支持」したことだ。

エッと思ったのは、私だけかと思ったら、そうではなかった。時間が経つにつれ、「これはおかしい」という声が出始めた。不倫を助長するのか、あるいは、日本の伝統的家族制度を破壊するのか……等々、さまざまな議論が湧き起こっている。

だが、私の感想は少々違う。私は直感的にこの違憲判決は「おかしい」と思った。理由はただ一つ、「日本人の長年の英知を否定するのか」ということである。

これで、「遺産相続で泣く人」がどのくらい出るのか、と思ったのだ。不倫の良し悪しや、婚外子への差別などということではなく、私は、結婚をしていない男女の間に生まれた婚外子の相続分は、法律婚をしている夫婦の子（嫡出子）の相続分の「二分の一」と定めている日本の民法が、実に英知を結集したものであると思っていたからだ。

大金持ちでもない限り、だいたいどんな男でも生涯が終わる時、家を一軒持つのがせいぜいだろう。不倫の末に婚外子をもうけたとしても、「色男、金と力はなかりけり」というのが通り相場だ。

その婚外子に対して、嫡出子の相続分の「二分の一」としてきたのは、長い間の経験則によるものだと思う。この割合が、長年住み慣れた家に、ぎりぎり「残れるか、残れないか」という微妙なものだからだ。

生涯で家を一軒持った男の場合、仮にその嫡出子と婚外子との間の相続分が「一対一」になったとしよう。

それは、イコール「家の売却」を意味する。もし、本妻が生きていた場合、二分の一をまず本妻がとり、嫡出子と婚外子が、その残りを平等に分け合うとするなら、家を売却して現金化するしか方法がなくなる。本妻がすでに死亡していれば、なおさらだ。

では、婚外子の相続分がこれまで通りの嫡出子の「二分の一」だったらどうだろうか。

これは、現金をなんとかつくって、家を売却しなくて済むぎりぎりだろう。そこが、私が「日本人の長年の英知」という所以（ゆえん）である。

普通の家庭では、父親が亡くなった場合、残された妻と、家に住んでいる子供がそのまま家を相続して、他の子供たちは相続を放棄するケースが多い。それが、「家を守る」ということだからだ。しかし、婚外子がいた場合、相続を放棄する可能性はほとんどなく、さらに、これまでの「二倍」を相続させるためには、やはり「家を売らなければならない」ケースが飛躍的に増えるだろう。

私は、今回の判決は、日本で「法律婚」ではなく、「事実婚」が促進されるきっかけになる歴史的なものだと思う。いや、これをきっかけに、やがて日本は「事実婚」の方が多くなるかもしれない。

たとえば、現行の制度では、事実婚の夫婦には、不妊治療の助成金を出さない自治体がほとんどだが、今後は、「助成金を出せ。出さないなら、法の下の平等に反する」と訴えられるケースも出てくるだろう。

すなわち「法律婚」と「事実婚」の差はなくなり、その点において、わざわざ「法律婚」を選択する意味がなくなるのである。

現在、日本の婚外子は全体の二・二％に過ぎないそうだが、ゆくゆくは欧米並みの四〇％に近づく時代が来る、という意味だ。

それが、人間の「平等」というのなら、これほどヘンな「平等」はあるまい。遺産相続の時、長年住み慣れた家を追われ、現金化しなければならない時代は、文字通り、日本の伝統や家族というものを破壊する。

私が判決に違和感を抱くのは、冒頭に挙げたように、最高裁判事が全員一致で違憲とし、大手新聞がすべてこれを支持したからだ。平等の概念とは本来、崇高なものであり、なんでも「平等」を訴えて権利ばかりを主張する風潮に、最高裁も、そして大新聞も、毒されていることへの違和感にほかならない。

それは、「偽善」と言い換えてもいいだろう。達せられることのない「平等」のために、本来守られるべきものが守られない本末転倒の判決だったと言うべきかもしれない。

かくて伝統的な家族制度は壊され、グローバル化された〝国際社会〟が日本にやってくる。だが私はそこに違和感を持つ。

「それ、差別だからね」「平等に反するわ」――そんな偽善に満ちた会話が飛び交う社会を見たくないのは、私だけだろうか。

（二〇一三年十一月号）

日弁連と死刑制度

死刑制度ほど人々を悩ませるシステムは、世の中にそうそうあるものではない。国家が犯罪者の生命を断つわけだから、それ自体が「殺人」であることに変わりはないからだ。

二〇一六年十月六日に日弁連が開催した死刑制度に関するシンポジウムで、作家で僧侶の瀬戸内寂聴氏がビデオメッセージの中で「殺したがるばかどもと戦って」などと発言、大きな騒動になったのも頷(うなず)ける。

詳しくいえば、瀬戸内さんの発言はこうだ。

「人間が人間の罪を決めることは難しい。日本が(死刑制度を)まだ続けていることは恥ずかしい。人間が人間を殺すことは一番野蛮なこと。皆さん頑張って〝殺さない〟ってことを大きな声で唱えてください。そして、殺したがるばかどもと戦ってください」

このメッセージの中に、その犯罪者によって「殺された」犠牲者や遺族についての言及や配慮がなかったことから、大きな非難が巻き起こったのである。

結局、瀬戸内さん自身が、朝日新聞掲載のエッセーで、「お心を傷つけた方々には、心底お詫びします」と謝罪することで一応の決着を見た。しかし、日弁連の騒動はそれではおさまらなかった。執行部のやり方に納得できない犯罪被害者支援に取り組む弁護士たちが、「こんなビデオを遺族のいる前で流した常識を疑う」と反発し、執行部批判が展開された。さらに矛先は、日弁連執行部を支持する朝日新聞にも向けられた。

朝日は二〇一六年十月九日付で〈死刑廃止宣言　日弁連が投じた一石〉とする社説を掲載し、日弁連の死刑制度廃止宣言を讃える一方、これに抗議する弁護士に対して、〈宣言をただ批判するのではなく……（略）……いまの支援策に何が欠けているのか、死刑廃止をめざすのであれば、どんな手当てが必要なのかを提起し、議論を深める力になることだ〉と非難した。

これに対して、犯罪被害者支援弁護士フォーラムが、「〝ただ批判する〟とは、被害者支援に取り組む弁護士らが根拠なく感情的に反対しているとの趣旨か」「フォーラムが被害者支援のため具体的提案をし続けていることを知っているのか」と、公開質問状で回答を迫ったのである。

内閣府調査（二〇一四年）では、死刑存続支持が八〇・三％で、国民の圧倒的多数が存続を望んでいることがわかる。

この数字は何を意味しているだろうか。

命を断たれた犠牲者とその遺族の無念の思いが、多くの国民に理解されている証拠ではないかと、私は思う。人間にとって、命ほど大切なものはない。死刑廃止派は、だからこそ、国家の殺人を認めないと言い、存続派は、その最も大切な命を奪った者は、最高の命をもって償うしかない、と言う。家族が殺された人たちを数多く取材してきた私は、どうしても国家の刑罰権のあり方を考えてしまう。

なぜ、国家は刑罰権を独占しているのか、という根源的な問いである。

日本は、江戸時代は認められていた仇討ち（あだうち）の権利を明治政府になってから捨てた。人々は、いわば自然権として持っていた仇討ちの権利、つまり、「応報権」を奪われたのである。個人による応報行為は、復讐が復讐を呼び、近代国家としての秩序と平和が保てなくなるからだ。言いかえれば、国家が個人に代わって刑罰権を行使することで、被害者側から応報権を〝譲渡〟された形をとったのである。

では、愛する家族が惨殺された時、遺族の苦悩と犠牲者の無念は、どこにいくのか。その刑罰権を独占している国家が、仮に「死刑制度」を廃止したら、どうなるのだろうか。

私は、光市母子殺害裁判の一審（山口地裁）で犯人に無期懲役判決が下った時の遺族・本村洋（もとむらひろし）さんの会見での言葉が忘れられない。愛する妻子を惨殺された、まだ二十四歳の本村さんはこう語った。

「司法に絶望しました。控訴、上告は望まない。早く被告を社会に出して、私の手の届くところに置いて欲しい。私がこの手で殺します。判決の瞬間、僕は司法にも、犯人にも負けたと思いました。僕は、妻と子を守れず、仇（かたき）を取ることもできない。僕は無力です」

応報権、刑罰権を取り上げられた、のたうちまわるような遺族の姿がそこにはあった。

本村さんはその八年後、最高裁で差し戻された控訴審で、犯人への逆転の死刑判決が下された時、私にこう語ってくれた。

「死刑制度というのは、人の生命を尊いと思っているからこそ存在している制度だと思います。残虐な犯罪を人の生命で償うというのは、生命を尊いと考えていなければ出てくるものではありません」

苦しみ、悩みながら、それでも存続している死刑制度の重みを、私はしみじみ考えさせられた。

（二〇一六年十二月号）

朝鮮学校に国民の血税、でいいか

朝鮮高級学校は、「高校無償化制度」の対象か否か――。

全国五カ所で争われている朝鮮学校の授業料無償化をめぐる訴訟で、二〇一七年七月二十八日、驚くべき判決が大阪地裁（西田隆裕裁判長）で出た。国による朝鮮学校への無償化からの「除外処分」を違法とし、処分の「取り消し」が命じられたのだ。つまり、西田裁判長（異動により三輪方大裁判長が代読）は、「朝鮮学校の授業料は、日本国民の税金で賄え」と命じたのである。

しかし、判決要旨を読んで、「なぜこんな論理が罷り通るのか」と絶句する人が続出した。わずか九日前には、広島地裁で〈朝鮮総連の〝不当な支配〟を受け、無償化のための支援金が授業料に使われない懸念がある〉と、まったく正反対の判決が出ていたこともあり、波紋が広がっていったのである。

私は、西田判決の要旨を読み進むにつれ、日本の官僚裁判官の「非常識」と「勉強不足」、そして「見識のなさ」について、考えざるをえなかった。

朝鮮学校とは、日本に居住する朝鮮人を対象としており、日本の法律上は、私立学校法に基づく「各種学校」にあたる。そのため日本の教育機関としての制約を受けておらず、使用している教科書も、本国である北朝鮮の教育省が検閲したものであり、日本の学習指導要領に沿った検定教科書は使われていない。本国から教育援助費が送られ、教育内容や人事も、すべて朝鮮総連や朝鮮労働党が事実上、決めている。

かつて校内で、日本語の使用さえ禁止されていたこともある朝鮮学校では、主体思想や先軍政治が称賛され、金日成・金正日父子の肖像を教室に掲げるなど、徹底した金一族の神格化教育がおこなわれている。朝鮮中央テレビから、日本の朝鮮学校生徒が「金正恩元帥様だけを頑なに信じる」「私たちは金正恩元帥様だけに地の果てまでもついていく」と宣言するさまが配信されるなど、〝戦士養成機関〟としての同校の役割については、かねて注目を集めていた。

周知のように北朝鮮は、何の罪もない日本国民を拉致したり、航空機を爆破したり、他国の首脳を狙って爆破テロをおこなったり、あるいは、核実験や弾道ミサイルの発射実験をくり返し、世界への挑発を続けている。その北朝鮮の「将来の戦士を育てる重要な役割」（公安捜査官）を負っているのが朝鮮学校である。

北朝鮮の支配下にあるこの朝鮮学校への「無償化制度」を実施するか否かについては、国会でも議論が闘わされてきた経緯がある。朝鮮学校の授業料無償化は民主党政権下で進められたが、自民党に政権交代後、朝鮮総連とのつながりを理由に対象から外されていた。

二〇一四年六月十三日、参議院の「北朝鮮による拉致問題等特別委員会」で、朝鮮学校について、公安調査庁がこんな答弁をおこなっている。

「朝鮮総連は朝鮮人学校での民族教育を〝愛族愛国運動〟の生命線と位置づけており、北朝鮮、朝鮮総連に貢献し得る人材の育成に取り組んでおります。朝鮮総連の影響は、朝鮮人学校の教育内容、人事、財政等に及んでいるものと認識をしております」

この答弁を聞くまでもなく、北朝鮮問題にかかわる人々にとっては、朝鮮学校が「北朝鮮の〝愛族愛国運動〟の生命線」というのは、「常識」に属するものである。しかし、その常識が西田裁判長には通じない。

〈教育の機会均等とは無関係な、外交的・政治的意見に基づき、朝鮮高級学校を無償化法の対象から外すために規定を削除したと認められる。従って委任の趣旨を逸脱し違法、

無効と解すべきである〉

〈国は、朝鮮総連から〝不当な支配〟を受けているとの疑念が生ずると主張している。しかし、国が指摘する報道などの存在やこれに沿う事実から、特段の事情があるとは言えない〉（一部略）

本国による朝鮮学校への「不当な支配」はない、と西田裁判長は本気でお考えらしい。しかし、日本国民の税金を日本国民の生命や安全を脅かす国の「民族教育に投入せよ」という判決に、一体どれだけの国民が納得するのだろうか。

同じ問題で、〝正反対の判決〟を出す日本の官僚裁判官。そのいい加減さはどこから来るのか。逆にいえば、それは裁判官たちがいかに自らの政治信条、つまり「思想に左右されて判決を下しているか」を物語っているのではないだろうか。

判決を前に西田裁判長は、大阪国税不服審判所の所長に異動している。しばらく頭を冷やして、純粋に法律家として、思想的に偏(かたよ)りなく「客観的に」事実を捉えることができているのかどうか、わが胸に問うていただきたい。

（二〇一七年十月号）

裁判長、巨大津波は本当に予見できたのですか

日本で原発問題ほど、賛成・反対の両派が入り乱れて感情的な論争をおこない、あるいは、裁判所やジャーナリズムも巻き込みながら、広範囲にわたった闘いが繰り広げられているジャンルは、そうそうあるものではない。

唯一の被爆国として、いまだに放射能アレルギーが国民の中から払拭（ふっしょく）されないのは、歴史的な経緯をみても当然のことだろう。

そして、この問題は、賛成派、反対派の双方に一理があり、多くの国民が「俺は賛成派だ」「私は反対派です」と、単純に言い切れないところに問題の複雑さと特殊性がある。

原発が動いてないことで生じてきた「燃料費」と呼ばれる国民負担は、すでに東日本大震災以来、累計で二十兆円に迫っている。しかし、安全で安価な代替エネルギーの登場を誰もが夢みているものの、いまだにその姿は、影さえ見えていない。

だが、一度、「何か」が起これば取り返しのつかない事態を招く怖さは、あの福島第一

原発事故以来、国民の頭から離れることはないだろう。そして、「原発を狙われる」というテロの危険性を考えても、原発を軽々に〝GO！〟にできない国民の悩みも当然といえる。

つまり、賛成、反対双方の言い分がそれぞれもっともであり、永遠に決着をつけることができないのが原発問題なのである。私自身が、双方の意見に耳を傾け、どちらにも与（くみ）することができないまま、今に至っていることをご理解いただいた上で、本稿を読んでいただきたく思う。二〇一七年三月十七日に下された前橋地裁の仰天判決について、である。

「津波は予見できた」

（えっ、本当か）

私は、その報を受けた時、正直、耳を疑った。しかし、同時に、

（日本の裁判官のレベルなら仕方がない）

そんな感想を抱いたのも事実である。福島第一原発事故後に福島県から群馬県に避難した住民百三十七人が国と東京電力に「津波の到来は予見でき、事故を防ぐことができ

た」として損害賠償を求めた集団訴訟の判決で、前橋地裁（原道子裁判長）が東電と国の賠償責任を認め、計三千八百五十五万円の賠償を命じたのだ。

いうまでもなく原発事故で国の賠償責任を認めた判決は「初めて」である。原発事故の集団訴訟は十八都道府県で二十八件起こされており、一万人を超える原告がいる。その最初の判決で、東電と国の責任が糾弾され、しかも、その理由が、国も東電も、「津波の到来を予見できた」としたのである。私が仰天したのは、まさに、その「津波を予見できた」とする「理由」にほかならない。

私は、もともと「国や東電は津波を予見し、本来なら事故を回避できたはずだ」という原告らの主張に対して、裁判でどんな判断が示されるのか、興味津々でこの訴訟を見てきた。しかし、前橋地裁の事実認定のお粗末さ、いや、稚拙(ちせつ)さに、正直、呆れてしまった。

もし、前橋地裁の判決が言うように、国も、東電も、あの大津波を「予見」し、「結果回避義務」を怠ったというのなら、当時の総理大臣も、各自治体のトップも、一万五千人を超える津波犠牲者を出したことに対する「罪」を負わなければならないだろう。だが、そもそも、あの大津波を予見できていた人間など、本当にいたのだろうか。

少なくとも、私は、東日本大震災以前に、巨大津波を予見していた人物に会ったこともないし、話を聞いたこともない。これは常識に欠けた日本の官僚裁判官による「いつもの」典型的な「アト講釈」による判決ではなかったのか、と思わざるを得ないのである。

無視された「真実」

私は、震災翌年の二〇一二年十一月、事故当時の福島第一原発所長だった吉田昌郎氏、あるいは、彼の部下である現場の所員たち、さらには、原子力の専門家、当時の政府首脳……等々を取材し、彼らの実名証言をもとに『死の淵を見た男　吉田昌郎と福島第一原発の五〇〇日』を上梓した（現在は、角川文庫）。

その関係で、東電の中で、あるいは、日本政府の中で、津波に対するどの程度の認識があったのかについて、かなり突っ込んで取材をさせてもらった。そこで得られたものは、「反原発」という旗幟を鮮明にする新聞が報じた内容とは、まったく「逆」の事実だった。そのことを踏まえながら、前橋地裁判決の問題点を浮き彫りにしたいと思う。

この判決の特徴は、二〇〇二年七月に文部科学省の特別機関「地震調査研究推進本部（略称・推本）」が打ち出した〈三陸沖から房総沖の海溝沿いのどこでもM8クラスの地震が発生する可能性がある〉という見解への過剰ともいえる「思い込み」にある。

原道子裁判長は、これを〈地震学者の見解を最大公約数的にまとめたもので、津波対策に当たり、考慮しなければならない合理的なものだった〉と述べている。

しかし、実際には、国は、この推本の意見を採用していない。国は、その五カ月前の二〇〇二年二月に、公益社団法人「土木学会」の津波評価部会が打ち出した、これとは全く異なる「決定論」という見解の方を重視した。この論は、基本的には、日本で過去に起こった津波には、それぞれ津波を起こす「波源」が存在しており、それをどう特定していくか、という理論に基づいている。その結果、これまで津波を起こしてきた太平洋側の「八つの波源」の存在が具体的に挙げられた。

土木学会の津波評価部会が打ち出したこの論は、推本が五カ月後に打ち出した曖昧な見解とはまったく異なる具体的なものだった。そして、その「八つの波源」は、福島沖にも、また房総沖にも、「なかった」のである。

最初に「結論ありき」

土木学会津波評価部会は、五カ月後に出てきた推本の見解も踏まえて、その後、この

「決定論」から、津波の発生確率を導き出して影響を見る「確率論」へと進化させている。

二〇〇六年一月二十五日、総理大臣をトップとする「中央防災会議」（内閣府）はそれをもとにして、

〈日本海溝・千島海溝周辺海溝型地震に関する専門調査会報告〉

を公表した。そこには、こう明記されている。

〈大きな地震が発生しているが繰り返しが確認されていないものについては、発生間隔が長いものと考え、近い将来に発生する可能性が低いものとして、防災対策の検討対象から除外することとする。このことから、海洋プレート内地震、及び福島県沖・茨城県沖のプレート間地震は除外される〉（同報告書13頁～14頁）

つまり、福島には「巨大津波は来ない」という認識を国は持ち、福島沖と茨城沖を津波防災の検討対象から除外し、前橋地裁が絶対視する推本の曖昧な論は、「採用されなかった」のである。しかし、実際には、福島は大津波に襲われている。では、推本の方が正しかったのだろうか。

答えを先に言えば、推本も正しくない。

今回の津波は、岩手県沖から茨城県沖に至る南北約五百キロ、東西約二百キロという

広大な範囲で多数の領域が連動して活動した国内観測史上最大、世界観測史上でも四番目にあたる巨大地震によってもたらされたもので、推本や土木学会など、過去のどの学説や論にも該当しない空前のものだった。これを指摘していた学者は一人もいない。

しかし、前橋地裁判決は、これを〈予見可能だった〉と断言しているのである。もし、国の判断に「瑕疵（かし）がある」というのなら、前橋地裁は、その理由を明快に説明しなければならない。だが、そのことについて納得できる前橋地裁の見解はなく、ただ、最初に「結論ありき」の「思い込み」だけが浮かび上がるのである。

常識が欠如した結論

推本の論に拠って立てば、当然、「福島沖」も「房総沖」も含まれるわけで、要は、そこに二十メートルの巨大防波堤を建設しておけば、東電も、国も、「責任を果たした」と前橋地裁は言いたいのだろう。

しかし、〈三陸沖から房総沖の海溝沿いのどこでもM8クラスの地震が発生する可能性がある〉という曖昧な論をもとに、果たしてそんなことができたと思うだろうか。

そこに私は、日本の官僚裁判官の「能力の欠如」を見る。それは、常識をもとに「仮に巨大防波堤を建設していたら」という図を想像してみれば、容易に理解できるはずである。

巨大防波堤の建設とは、実は簡単なことではない。例えば、前橋地裁が言うように、福島第一原発が、仮に二十メートルの巨大防波堤を建設していたとしよう。そこに実際に巨大津波が来たら、どうなるだろうか。

当然、巨大防波堤に阻まれた津波は〝横〟にそれ、周辺集落をより大きな津波となって襲うことになる。周辺集落にとって、そんな〝危険な〟巨大防波堤は許すことができるはずがない。では、どうするか。

もし、建設するなら、綿密な周辺自治体との意見交換と合意が形成されることが不可欠となり、周辺自治体へと巨大防波堤は延びていくことになる。それは、景観をはじめ、多くの犠牲になるものとの「比較の上で」できるものである。では、推本が打ち出したような曖昧な論で、そんな巨大防波堤が「建設できた」と誰が思うだろうか。

さらにいえば、巨大防波堤の建設には、「環境アセスメント（環境影響評価）」の問題も生じてくる。巨大防波堤の建設は、海の温度や水質などの環境を変える可能性があり、水質汚濁（おだく）や土壌汚染、あるいは、自然環境の体系的保全をはかるために、環境影響評価法に基づいて、多くの制約を受けることになる。それらをすべて克服して、巨大防波堤をつくることが、推本が打ち出したあの曖昧な論から可能だったと思うだろうか。

つまり、あの東日本大震災以前には、巨大防波堤を建設することなど、原裁判長が想像するような「簡単なこと」ではなかったのである。

さらに、私が今回の判決で最もお粗末だと思ったのは、東電が最大波高「十五・七メートル」の津波を試算し、「実際に津波が来ることを予見していた」と認定したことである。

前述のように、私は故・吉田昌郎氏に生前、長時間のインタビューをしている。その中で、この最大波高「十五・七メートル」の津波を試算した時のことも直接、聞いている。

吉田氏は二〇〇七年四月、東電本店に新設された原子力設備管理部の初代部長に就任したが、三カ月後の七月十六日、新潟中越沖地震に遭遇した。東電の刈羽・柏崎原発のエリアはマグニチュード六・八の地震に見舞われ、吉田氏はその驚愕の揺れと向き合うことになる。

吉田氏は、二〇一〇年四月に福島第一原発所長に就くが、本店の原子力設備管理部長時代から、中央防災会議が採用した論が正しいのかどうか、検証を試みている。具体的には、土木学会への現場からの「再度の検討依頼」である。

津波を起こす「波源」の存在、そして、これに過去起こった地震と津波を掛け合わせて弾き出された「確率論」――さまざまな手法によるアプローチの中で、唯一言えるのは、この「波源」の有無と位置を見誤れば、大変なことになってしまうということだ。

津波防災の対象区域から外された福島だが、吉田氏は、それでも、明治三陸沖地震（一八九六年発生）で津波を起こした波源が「仮に福島沖にあったとしたら、どういう数字が出てくるのか」という〝架空の試算〟を部下に命じている。それは、実に大胆なやり方だった。

つまり、明治三陸沖地震の津波を起こした波源を「三陸沖」から「福島沖」に下ろしてきて、「もし、この波源が仮に福島沖にあったなら、どんな波高になるか」という試算をさせたのである。

吉田所長の証言と新聞報道

吉田氏は、私にこう語った。

「もし、土木学会津波評価部会が出した波源の位置や存在そのものに間違いがあったら困るので、仮に、明治三陸沖地震の津波を起こした波源が福島沖にある、として試算したのです。その結果、明治三陸沖地震の津波を起こした波源が目の前にあったら、最大波高は十五・七メートルになるという数字が出てきた。その試算結果を持って、土木学会津波評価部会に、福島沖は大丈夫でしょうか、という再検討を依頼しました」

つまり、十五・七メートルの最大波高というのは、「仮に明治三陸沖地震の津波を起こした波源が、福島沖にあったならば」という「架空」の試算であり、実際の想定に基づくものではなかった。さらに言えば、それは、土木学会の津波評価部会に、再度の「波源」策定を促すために試算されたものだったのである。

しかし、この架空の試算は、新聞各紙によって捻じ曲げられ、〈東電は最大波高十五・七メートルを知っていた〉という記事が紙面を賑わすことになる。各紙は、二〇一一年の八月二十四日から二十五日にかけて一斉にこう報じている。

〈福島原発　東電「津波10メートル」試算　08年、具体的対策せず〉（読売）

〈福島原発、「津波遡上高15メートル超」試算――08年、東電〉（日経）

〈東日本大震災：福島第1原発事故　東電津波試算、08年に「10メートル超」想定〉（毎日）

私は、吉田氏が逝去した際、主に新聞によって、この「十五・七メートルの最大波高」

に対する誤った認識が流布（るふ）されたので、月刊誌にそのことを詳しく書かせてもらった。しかし、それから四年が経過した今回の前橋地裁の判決でも、あたかも「東電は、巨大津波が襲ってくることを認識していた」という「根拠」にされていることに驚きを禁じ得なかった。

私は、デビュー作のノンフィクション『裁判官が日本を滅ぼす』以来、日本の官僚裁判官の事実認定のお粗末さを指摘してきたが、今回もご多分に漏れず、あやふや、かつ、お粗末な認定ぶりを見せてもらった。

原裁判長は国に対して、推本の見解から五年が過ぎた二〇〇七年八月頃には、〈自発的な対応が期待できなかった東電〉に、対策を取るよう権限を〈行使すべきだった〉と述べている。そして、国による権限の不行使に対して、〈著しく合理性を欠く〉と断罪した。

私は、原裁判長に訊（き）いてみたい。学会や学術団体が多数存在している日本では、多くの研究者によって、さまざまな見解が絶えず出されている。その中で最も重視されるのは、「具体性」である。人々の耳目を集めるような新たな見解であれば多くの人が注目しただろうが、推本の曖昧な論を、総理大臣をトップとする中央防災会議が果たして採用したと思うだろうか。

なぜ、そこまで抽象的な推本の見解を「絶対視」するのか、その根拠はどこにあるのか、是非、説明していただきたいのである。

私は、「いつものように」おこなわれている〝アト講釈〟の判断と、「はじめに結論ありき」のやり方に、日本の官僚裁判官の限界を見る。一万五千人を超える犠牲者を出したあの悲劇の大津波に対して、本当に「予見できた」というのなら、その理由を「もっと明確に示して欲しい」と、国民の一人としてしみじみ思うのである。

「ゼロリスク」と幼児性

二〇一七年三月二十八日、原発に関してもうひとつ、注目の司法判断があった。一年前の二〇一六年三月九日、福井県にある関西電力高浜原発三、四号機への滋賀県の住民二十九人がおこなった運転差し止めの仮処分申請に対して、大津地裁（山本善彦裁判長）は、申請を全面的に認め、初めて運転中の原子炉を停止させる司法判断を出していた。

その理由は、これまた驚くべきものだった。

山本善彦裁判長は、原子力規制委員会が福島第一原発の事故後出した新規制基準について〈福島の事故の原因究明が道半ばで、公共の安寧の基礎になるとは考えられない〉とし、関電に対しても、原発の安全性の〈技術的根拠〉を説明するよう求め、〈（関電によって）対策は全て検討し尽くされたのか不明だ〉、あるいは、〈新規制基準策定に向かう姿勢に非常に不安を覚えるものといわざるを得ない〉として、その主張を撥ねつけたのである。

「裁判官が科学的知見に基づかず、独自の原発否定論を述べている」「これは事実上、ゼロリスクを求めたものだ」と、関係者は騒然となった。

それは、極めて高度で最新の科学的な判断を求められたときは、司法は「抑制的」であるべきだとする一九九二年の四国電力伊方原発訴訟の判決で示した最高裁の基本見解さえ、真っ向から否定するものだった。

しかし、それから一年。二〇一七年三月二十八日、仮処分の保全抗告審決定で、大阪高裁（山下郁夫裁判長）は、関電の抗告を認め、〈（新規制基準は）東京電力福島第一原発事故後の原因究明や教訓を踏まえたものであり、安全審査に不合理な点はない〉と、大津地裁の仮処分決定を取り消したのである。その判断理由は、一年前の大津地裁のそれとは、まったく「正反対」のものだった。

理想として〝ゼロリスク〟を求めたい気持ちはわかる。しかし、一般人には許されても、少なくとも裁判官には許されない。そんな子供じみた考えに支配されていては、肺ガンになる可能性があるからといって煙草の製造は禁止され、事故で人を死なせる恐れがあるからと、自動車も航空機もつくってはならない、などという恐ろしい判決さえ生むことになるからだ。「単純正義」に基づいた幼児のような理屈の司法判断だけは、国民の一人としてご免こうむりたい。

私は、東京電力には、「結果責任」があると思う。しかし、常識が著しく欠如した考え方に基づいて、稚拙な司法判断が相次ぐなら、それは逆効果になるだろう。裁判官によって、ころころ変わる判断。司法の独立は重要だが、それ以前に「常識」と「中立性」、そして「事実認定力」という点において、裁判官の個々の力をアップさせなければ、「ああ、またか」という司法への侮り（あなど）と不信感が国民の間に広がりつづけるだろう。

裁判官よ、襟（えり）を正せ。

（二〇一七年六月号）

日本が「法治国家」を捨てた年

「二〇一八年は、どんな年だったのか」

そう聞かれたら、私は迷うことなく「司法の権威が失墜（しっつい）した年」と答える。いや、日本の司法にもともと権威などあるわけがない、という人もいるので、日本がまともな法治国家ではなかったことが「証明された年」と言い直した方がいいかもしれない。

韓国の大法院による「徴用工判決」や、日本から盗んだ仏像を返却する必要はないという驚愕の「対馬仏像判決」など、お隣の韓国が法のもたらす正義とは無縁の国家であることは、国際社会の常識だ。中国に至っては、そもそも三権分立や言論の自由さえ存在しない独裁的な「人治国家」であり、間違っても法治国家などとは思わないだろう。

しかし、実は、日本も負けてはいない。もし、日本が「法治国家である」と思っているなら、余程おめでたい人だ。

具体例を挙げてみよう。日本の刑事裁判が刑事訴訟法に基づいておこなわれていることとは、ご承知の通りだ。では、その刑訴法は何を目的にしたものだろうか。「事案の真相究明」である。刑訴法の総則第一条には、そのことが明確にこう謳われている。

〈第一条　この法律は、刑事事件につき、公共の福祉の維持と個人の基本的人権の保障とを全うしつつ、事案の真相を明らかにし、刑罰法令を適正且つ迅速に適用実現することを目的とする〉（傍点筆者）

事案の真相を明らかにすること、つまり、「真相究明」が刑事訴訟法の「最大目的」なのである。それはそうだ。もし、誤った判断で死刑にでもされたら、たまったものではない。しかし、人間がやることだから三審制を敷いている日本であっても、間違いはある。さらには裁判が終わってから、つまり、時間が経過した後、新証拠や新証人が出てくる場合もある。

では、あくまで「真相究明」を目的とする刑訴法は、これらにどう対応しているのだろうか。答えは「再審請求権」に見い出すことができる。裁判が終わった後、つまり、確定囚に対しても、「真相究明」に関わる新証拠が出てきた場合は、もう一度、審理を要求する権利が認められているのだ。

刑訴法第四百三十五条以下には、そのために再審請求の規定が細かく定められている。ならば、日本においてこれは適正に運用されているだろうか。残念ながら、首を横に降らざるを得ない。それこそが、真の意味で日本が「法治国家ではない」所以だ。

二〇一八年七月、麻原彰晃以下十三人のオウム死刑囚が刑を執行された。十三人の内、実に十人が再審請求をしていた。死刑執行を阻むために、これを乱用する弁護士が多いのは事実である。そのため裁判所は、それが「実質的」な再審請求なのか、「かたち」だけの再審請求なのかを判断しなければならない。だが、オウム死刑囚の中で真相究明のための「実質的」な再審請求をおこなっていた者がいた。

井上嘉浩である。オウム死刑囚の中で、もともと一審が無期、二審以降が死刑と、判断が分かれていたのは井上だけだ。井上が関わった假谷さん拉致事件を一審では「逮捕監禁」、二審以降は「逮捕監禁致死」、地下鉄サリン事件では、一審が「後方支援、連絡調整役」、二審以降は「総合調整役」とされたのである。二〇一八年三月、井上側から一審の判断が正しかったことを示す再審請求書が提出された。そこには、井上の行動を客観的に裏づける一九九五年三月一日、関東に「大雪が降った」という新聞記事をはじめ、いくつかの新証拠が含まれていた（拙著『オウム死刑囚　魂の遍歴』〔ＰＨＰ研究所〕参照）。

新しい証拠に驚いた東京高裁刑事八部は、さっそく再審請求の進行協議を始め、第一回は五月八日、第二回は七月三日にあり、ここで高裁が井上側の要求する携帯電話の発信記録の提出を検察に命じ、次回第三回の期日を「八月六日」に決定した。つまり、假谷事件の真相究明に向けて裁判所、検察、弁護側の「三者」が動いていたのである。

だが、その真相究明への道は、第二回の進行協議の三日後、突然、断ち切られた。当の井上嘉浩への死刑が執行されたのだ。

「なぜ?」「真相が究明されなくてもいいのか」と、井上の弁護人からそんな疑問が呈されたのは当然だろう。再審請求権という刑訴法の根本精神を表わす確定囚の権利は、法務当局と上川陽子法相によって無惨にも踏みにじられたのである。

上川法相は、記者会見で「鏡を磨いて、磨いて、磨いて、磨き切る気持ちで死刑執行の判を捺した」と言ってのけた。だが、私には、それが「日本は法治国家ではない」という宣言であるかのように聞こえた。中国や韓国を笑えるようなレベルに日本が到底ないことだけは、知っておく必要がある。

(二〇一九年一月号)

司法改革の敵「官僚裁判官」を許すな

国民はなぜ怒りの声を上げないのだろうか。私は官僚裁判官の〝暴走〟を見て、そう思う。

あれだけの苦悩や労力と引き換えに国民が裁判員として下した判決を、高等裁判所の裁判官がいとも簡単に「ひっくり返す」ことである。もともと裁判員制度の導入に大反対だった官僚裁判官たちが制度をなきものにしようと卑劣な手段を行使しているのだ。

二〇一九年十二月五日、熊谷六人強盗殺害事件の犯人、ペルー人のナカダ・ジョナタンの一審での死刑判決が破棄され、東京高裁で無期懲役判決が下されたことに国民は目を疑ったに違いない。

無惨なあの事件については、今も記憶が鮮明だ。二〇一五年九月十三日、ナカダが任意同行先の埼玉県警熊谷署から走り去ったところから悲劇が始まる。

翌十四日に熊谷市の住宅で五十代の夫婦が刺されて死亡、二日後には八十四歳の老女、別の住宅では母親と十歳と七歳の娘計三人が殺害された。犯人のナカダはその家の二階から転落し、頭のけがで入院。そのまま六人に対する殺人などの容疑で逮捕された。

精神鑑定のための鑑定留置がすぐに始まり、翌二〇一六年五月まで続く。起訴されたのは鑑定留置が終了した一週間後だ。だが、精神鑑定はその後も続く。二〇一七年四月に公判前整理手続きが始まると弁護側が再鑑定を請求し、それが認められたのだ。結局、再鑑定が終わったのは九月のことである。

やっと初公判が開かれたのは二〇一八年一月二十六日。この事件に向き合った裁判員たちは衝撃を受けただろう。遺体の状況や犯行の手口はどれも凄惨で、目を背けたくなるようなものばかりだったのである。

犯人に責任能力があるのかどうか、裁判員たちは真剣に審理をおこなった。地裁の精神鑑定で統合失調症と診断されたことで弁護側は心神喪失を理由に無罪を主張。責任能力の有無と程度が争点となった。

しかし、一審の裁判員裁判では死刑。被害妄想や追跡妄想があったことは認めつつも、現金のほかにも車を奪って逃走し、現場の血痕を丁寧に拭き取って証拠隠滅も図るなど、とても責任能力のない人間の行動ではなかったからだ。

特に裁判員たちが注目したのは十歳の少女の性的被害だ。ナカダは両手をヒモで縛り、口に粘着テープを貼って下着を脱がした。下着に精液が付着していたことから何が行われたかは想像がつく。その後、代わりの短パンや七分丈のズボンを着用させて行為の隠蔽(いんぺい)を図ったことも明らかにされた。これら「欲望を満たすための行為」が果たして「責任能力のない」人間のすることだろうか。

裁判員たちは徹底的に議論を尽くし、責任能力は十分にある、と死刑判決を下したのである。国民の社会常識が反映された妥当な判断だったと言える。

だが、高裁は違った。なんと、この十歳少女の性的被害に触れず、これを考慮に入れないまま「統合失調症の影響で心神耗弱(こうじゃく)状態だった」として無期懲役としたのだ。

遺族の驚愕はいかばかりか。「高裁はなぜ娘の性的被害に触れなかったのか。到底、納得できない」と、マスコミを前に父親が怒りを顕(あら)わにしたことがすべてである。

「襲われる」という妄想が仮にナカダにあったとしても、少女の手を縛った段階でその恐れはなくなったはずだ。それからの性行為と殺害行為、そして隠蔽行為を高裁判事は何とも思わないのか。常識さえあれば「心神耗弱」などと考える人間などいないだろう。

神戸市長田区の小学一年女児猥褻(わいせつ)殺害事件、大阪・心斎橋で通行人二人が殺害された心斎橋通り魔事件など、裁判員が苦悩の末に出した死刑判決が減刑されるのはこれで六例目だ。個別の事案に踏み込まず、被害者の数だけで判決を下す〝相場主義〟に慣れ切った官僚裁判官たちの恐るべき「裁判員制度への逆襲」である。

日産自動車のゴーン元会長が保釈中に逃亡した事件でも、日本の裁判官は非常識を露呈した。人質司法に対する検察への批判は当然あったとしても、もし保釈をするならば「絶対に逃亡できない方法」を採らなければならなかった。しかし、パスポートも持ち、GPSを足に装着もさせず、ほぼ〝自由に動きまわれる〟という裁判所の保釈条件は、プライベートジェット機を駆使して世界を股にかけてきたゴーンに対してあまりに「非常識」ではなかったか。

せっかくの裁判員制度が常識の欠如した官僚裁判官たちによって風前の灯となっている。国民を中心に政治もジャーナリズムも真剣に議論しなければならない。彼ら官僚裁判官の暴走を許すことは、犠牲者の無念を放置し、ひいては司法への信頼を根本から消し去ることにつながるからだ。

（二〇二〇年三月号）

森雅子法相はなぜ謝罪したのか

日頃、ヤジを浴びせる側が「ヤジは許せない」と開き直って一国の総理に謝罪させたり、事実そっちのけで白を黒と言いくるめて印象操作したり、国会が一般社会の常識では考えられない「不見識」で「異常」な場になり果てている。

これで国権の最高機関だというのだから、日本のレベルも推して知るべし、である。主役は今回も立憲民主党、国民民主党、共産党、社民党である。そのレベルの低さを、森雅子法相謝罪事件を例にとって考えてみよう。

二〇二〇年三月九日の参院予算委員会で、森雅子法務大臣が「震災の時に検察官は福島県いわき市から市民が避難していない中で最初に逃げた」「その時に身柄拘束している十数人を理由なく釈放した」と答弁。これに対して立憲民主党の安住淳国対委員長は「全く事実無根。政府見解を出してもらいたい」と、政府が公式見解を示すまで衆参両院の審議を拒否する戦術を採った。

新型インフルエンザ等特措法改正案を通す折も折、結局、森法相は安倍首相から厳重注意を受け、謝罪と発言の撤回に追い込まれた。だが、森発言は本当に「事実無根」だったのだろうか。

私は二〇一一年三月十一日に起こった東日本大震災、あるいは福島第一原発事故を取材するために福島県いわき市を拠点にしていた。その経験を踏まえ、いわき市で見聞きしたことを記述する。

福島第一原発は大津波で全電源を喪失し、原子炉がメルトダウン。格納容器爆発による放射能汚染の危機が迫った。いわき市民も浮き足立った。自家用車を持つ家庭の中には、いわきを後にした家庭も少なくなかった。それは公の機関も同じだった。

福島地検いわき支部には震災発生時に強制猥褻犯を含む容疑者十二人が勾留されていた。しかし、汚染危機が迫る中、いわき支部はこの十二人を処分保留で釈放したうえ三月十六日に閉庁し、郡山に移ったのである。検事たちは、原子炉が落ち着いた九日後に郡山からいわきに帰り、日常業務に戻った。

これが明らかになった時のいわき市民の怒りは大きかった。強制猥褻犯を含む容疑者たちを解き放って自分たちがさっさと郡山に逃げてしまったのだから無理もない。いわきは当時、避難地域ではなく、市民の大半は同地に残っていたのだ。

これを問題にしたのが、いわき出身の弁護士で自民党参議院議員の森雅子氏だった。森氏は当時の民主党政権を徹底的に追及し、二カ月後、江田五月法相が福島地検検事正を更迭したのである。釈放された容疑者がすぐに再犯したことで、いわき市民の怒りが頂点に達したことからも森氏の心情は想像がつく。私は江田法相、そのあとの平岡秀夫法相といった当時の民主党政権が執拗（しつよう）な森氏の追及にしばしば立ち往生となったことを記憶している。

今の立憲民主党は当時の民主党政権の議員たちを中心に構成されている。もちろん、この間の事情は熟知している。だが、そんなことはおくびにも出さず、「事実無根」「謝罪せよ」と嘘で塗（ぬ）り固めた攻撃に終始したのだ。

特にひどかったのは蓮舫氏だ。二〇二〇年三月十六日、質問に立った蓮舫氏は、「三月十一日、その当日に国会で東日本大震災に関する嘘を言う森法務大臣。なぜ辞めさせないんですか」と言ってのけた。事実を知っていながらこの質問をする神経には恐れ入る。人として許されるのか、という類いの話である。

そして野党は〝いつもの〟欠席戦術に出た。だが、ここで驚くのは自民党の森山裕国対委員長が自党の大臣を守るのではなく、野党の言い分を丸呑みして謝罪させるべく動いたことである。

国民から見れば、野党が欠席戦術を採れば、そのまま放っておけばいい。いつまでも〝寝かせた〟ままにしておけばいいだけである。その方が聞くに堪えないような難癖質問を聞かずに済むし、国民も愛想を尽かすだろう。

しかし自民党は野党にすり寄り、「謝罪させますから、どうぞ国会にご出席下さい」とお願いするのである。自民党と社会党でつくり上げた馴れ合い〝五五年体制〟がこれだ。六十年以上続く国会の悪しき慣行が未だに幅を利かしているわけである。

国会での質疑はテレビ中継され、ネットでも多くのやりとりを観ることができる。つまり、国会とは国民の手本であるべき存在だ。そこで「真実」が無視され、「虚偽」が大手を振る。これを許す自民党国対委員長と、それを任命している安倍首相――国民がこんな欺瞞をいつまで許しているのか、私にはそちらの方が問題に思える。

（二〇二〇年五月号）

第五章

緊迫する世界と平和ボケ日本

中国「国家資本主義」の威力

二〇一五年十一月から十二月にかけて、久しぶりに中国に行ってきた。福島第一原発事故を描いたノンフィクション『死の淵を見た男』の中国翻訳版『福島核事故真相』が出版されるのに合わせて、上海の出版社に講演を依頼されたからである。

私が最初に中国を訪れたのは、今から三十三年も前の一九八二年のことだ。それから断続的に中国を訪問して来たが、戦争ノンフィクションを書く関係から、どうしても北京、あるいは旧満洲の東北地方を中心に中国を廻ることが多かった。そのため、上海には縁が遠く、実に二十六年ぶりの訪問だった。

言うまでもないが、宇宙ステーションと見紛うばかりの黄浦江沿いの有名な超高層ビル群（浦東新区）も、当時は全く存在していない。旧イギリス租界のバンド（外灘）から眺める風景は、これが本当に同じ場所なのか、と目を疑うものだった。

さらに煌々と夜の街を照らすイルミネーションや高層マンション群、三重、四重に交差する高速道路、果ては、北京へ向かう新幹線と南京へ向かう新幹線が並行して走っているさまなどを目の当たりにすることができた。

「〝国家資本主義〟とは、おそろしいものだ」

土地の私有が認められておらず、大規模な都市開発や、縦横無尽に線路・道路の敷設などがおこなえる「国家資本主義」の凄まじさを垣間見た気がした。

中国を「共産主義国家」と認識するのは、〝半分〟は当たっているが、〝半分〟は間違っている。人民に対する抑圧や強権政治は、まさに中国共産党の真骨頂だが、その絶対的な権力が、あらゆる開発や発展のために使われるとしたら、これほど強固な国家はない。

それが「国家資本主義」である。

なにしろ党の方針ひとつで、明日からその地区全体が大開発の対象となり、気がつけば天を突くような摩天楼ができ上がっているのである。財産として個人が土地を所有し、「土地収用」に莫大な費用と年月がかかる自由主義圏では想像もできない発展が、この国では可能なのだ。その意味で、まさに中国は、国家資本主義の威力を世界に見せつけている。

上海の人たちの飽食ぶりも印象に残った。高級レストランがどの店も満員で、よく食べ、よく飲んでいる。小さな子供を連れた母親が、高級レストランで高額の料理を次々平らげているのには驚いた。また、宝石店や高級ブランドショップも盛況で、日本にまで〝爆買い〟に来るパワーは、地元でも大いに発揮されていることがよくわかった。

二十六年前に上海に来た頃は、牛肉にお目にかかることなど、ほとんどなかった。しかし、高級ステーキ店やしゃぶしゃぶ店も上海では大人気だそうで、大いに繁盛していた。それまで食べたことがなかったサーロインステーキが、今では〝上海市民に欠かすことができないもの〟になったのである。

聞けば、香港からの密輸で上質の牛肉がどんどん流入しているという。まだ富裕層だけとはいえ、〝飽食の時代〟に確実に入りつつある中国が、南シナ海で「力による現状変更」を強引に展開し、さまざまな資源を獲得しようとするのは、必然だっただろう。

贅沢（ぜいたく）に着飾り、高級車を乗りまわし、貪欲に「富」を求めていく人民が増えれば増えるほど、石油も天然ガスも、そしてさまざまな食材も、すべてが「不足」していく。それが、さらなる資源獲得を目的とする「力による現状変更」を促進させるだろう。中国の〝富裕化〟は、周辺国との領土・領海の摩擦の上でしか成り立たないものだからだ。

私は、上海から南京にも足を延ばしてみた。そこには、オープンを待つばかりの慰安婦記念館（利済巷慰安所旧址）があった。かつて日本軍が慰安所として使っていた建物が再整備され、記念館となったのだ。日本軍によるアジア最大の「慰安所施設」という触れ込みである。その入口正面には、お腹が大きい妊婦と地に伏して泣き叫ぶ女性の大きなモニュメントが飾られていた。

南京のど真ん中に位置するその施設は、どうみても〝強制連行〟とは無縁の賑やかな町の中にあった。しかし、それでも中国政府は、「強制的に」性奴隷にされた女性たちの悲劇の地として、これを喧伝（けんでん）していくのだそうだ。

中国政府は、日本への恨みをどうしても人民に植えつけたい。この施設は、いかに日本の憎悪をかきたて、将来の日本との戦いへの心構えを重視しているかを教えてくれるものである。かつての貧困時代を知らない反日教育世代が社会の主流となる今後、中国とつきあうためには、〝新たな覚悟〟が必要であることを気づかせてくれる旅でもあった。

（二〇一六年二月号）

刻々と近づく「尖閣の悪夢」

多くの日本人が「平和」を望んでいるにもかかわらず、尖閣での中国との衝突が刻一刻と近づいている。

日本国憲法前文に謳(うた)われる〈平和を愛する諸国民の公正と信義に信頼して、われらの安全と生存を保持しようと決意した〉日本国民の気持ちは、彼(か)の国には通じない。

二〇一六年八月六日、尖閣海域に四百隻以上の中国漁船と二十隻の中国公船が押し寄せたというニュースは、リオ五輪で日本勢の活躍に熱狂していた日本人に冷水を浴びせかけた。さらに産経新聞のスクープによって、その中国漁船に多数の海上民兵が乗り込んでいたことも明らかになった。尖閣（中国名・釣魚島）をめぐって「段階」を一つずつ上げてきている中国が、ついに上陸を念頭に具体的に「動いてきた」のである。

私は、中国の王毅(おうき)外相が七月のＡＳＥＡＮでの日中外相会談において、「（南シナ海問題で）日本は言動を慎むよう忠告する」と、岸田文雄外相に言い放ったことを思い出した。

言動を慎まなければ痛い目に遭うぞ、という恫喝は、「必要ならば、武力で自国の領土（注＝釣魚島）を守る準備はできている」と、これまで繰り返し表明してきたことと連動している。つまり、釣魚島を武力で「守る」決意は、すでに中国人民の支持のもとに「明確にされている」のである。

私は、今回の事態を見て、二つの出来事を想起した。一つは、二〇一五年の安全保障法制をめぐる国会周辺での騒ぎであり、もう一つは、二〇一三年からの「日米ガイドライン（日米防衛協力のための指針）協議」における激しい攻防だ。尖閣に対して中国に手を出させないために、周辺海域での米軍の存在感を高めたい日本と、難色を示すアメリカとの間で厳しい交渉があったのだ。

東シナ海で米艦艇が攻撃を受けても、肝心の日本の自衛隊が〝知らぬ顔〟をするような日本の法体系の中では、「とても協力できない」とするアメリカに対して、当時の小野寺五典防衛大臣をはじめ、日本側当局者が「粘りに粘った」ことは知る人ぞ知る。

「もし、尖閣で日中の紛争が発生すれば、世界経済への影響は計り知れない」

「中国にそれをさせないためには、あなたがた米軍のプレゼンスがどうしても必要なのです」

必死で食い下がる日本側。そして、米艦艇が攻撃された時には日本の自衛隊が守ることができる法整備をおこなうことで、ついにアメリカは首を縦に振った。それが二〇一五年四月に日米安全保障協議委員会で了承された日米ガイドラインであり、その後、でき上がった安全保障法制だったのだ。

中国に「戦争を起こさせない」ための法整備を逆に「戦争法案」、あるいは「憲法違反」などという人々が国会周辺に集まり、これに反対したことは、実に興味深かった。

日本には、「現実」に目を向けず、いつまで経っても「空想的平和主義」から抜け出せない人がいかに多いかを物語っている。私はそういう人々をいつも「ドリーマー（夢見る人）」と呼ばせてもらっている。

中国の武装漁民の尖閣上陸は「時間の問題」だと言える。なにかの機を捉えて武装漁民を「一挙に上陸させる」のである。私は四百隻もの中国漁船がやって来た今回、「稲田朋美防衛大臣の靖國参拝」という〝きっかけ〟で、それへの厳重抗議の意味を込めて一気に上陸させるのではないか、と予想していた。しかし、稲田氏が海外視察のために八月十五日の靖國参拝をしなかったことで、その事態には至らなかった。

中国人は、南シナ海問題での一切の中国の主張がハーグの国際仲裁裁判所で退けられた時、テレビの街頭取材でこんな意見を述べていた。

「ここまで来たら、フィリピンとの戦争も致し方ない」

「話し合いで決着がつかなければ、もう戦争ですね」

女性を含め、そんな発言が次々と飛び出していたのだ。尖閣についても、中国のネットでは、「いつでも戦闘の準備はできている」「俺は早く開戦してもらいたいと思っている」といった意見が溢れている。中国では、「日本などひねりつぶしてしまえ」というのが、いわば人民のコンセンサスなのだ。

九〇年代からの徹底した「反日教育」は、「そのためだった」ことに日本人もそろそろ気づかなければならないだろう。

中国に二の足を踏ませているのは、「米軍の存在」だけである。武装漁民が乗り込んだ多くの漁船がやって来た今、東シナ海は、南シナ海に続いて〝紛争の海〟になるカウントダウンが始まった。戦後七十一年目となった二〇一六年夏、私たち日本人は東シナ海の「現実」と、自国の領土を守るというのはどういうことなのか、その「意味」を突きつけられているのである。


（二〇一六年十月号）

北朝鮮核開発の〝背後〟にあるもの

どうしても不思議なことがある。一九九〇年代初めから、瀬戸際外交を四半世紀以上にわたって展開している北朝鮮に対する国連の対応やジャーナリズムの捉え方について、である。

北朝鮮が潜水艦発射弾道ミサイル（ＳＬＢＭ）を含む弾道ミサイルの発射実験を繰り返し、それらは日本の排他的経済水域（ＥＥＺ）にも落下し、さらには連続発射したものが、ほぼ正確に同一地点に落下していることも判明。精度が極めて上がっていると共に、五回目の核実験も強行し、まさに「核強国としての偉容（いよう）」（金正恩（キムジョンウン））を誇りつつある。

北朝鮮が核弾頭の小型化に成功したことが専門家の共通認識となってきた。周辺国にとっては、いよいよ「起爆装置の開発」を北朝鮮が完成させるか否か、だけに自らの運命がかかってきたことになる。

核ミサイルは、「核弾頭の小型化」と「起爆装置の開発」が両方必要で、これが成功した時に初めて核ミサイルとしての機能を持つ。いまだに「起爆装置の開発」については、専門家の間でも疑問符が出されており、逆に見れば、そこだけが周辺国の〝残された希望〟と言っていい。つまり、これが開発されれば、側近の粛清を繰り返すあの金正恩に、私たちの生命は「握られる」のである。

冒頭に触れた「不思議なこと」とは、中国である。

北朝鮮の核問題が起こる度に言われるのは、

「日本とアメリカと韓国が、歩調を合わせて追加措置を講じ、北朝鮮への資金と技術流入を水際でストップしなければならない。そして、その制裁が功を奏するように、中国の協力を促すことが求められる」

この問題を論じる際のキーワードは、いつも「中国の協力」だ。私はそのことが不思議でならないし、何を寝呆(ねぼ)けたことを言っているのか、と思う。

北朝鮮に核実験をさせ、これを最も大きな〝カード〟にしているのが中国であることに「なぜ気がつかないのか」と思うからだ。北朝鮮がなぜ核実験をおこない、長距離弾道ミサイルの実験をおこなえているのか。

理由は、「中国の承認があるから」である。北朝鮮とは、前述のように中国にとって、最大とも言うべき〝切り札〟にほかならない。

「偉大なる中華民族の復興」を唱え、覇権国家への野心を隠そうともしなくなった中国にとって、最終的に凌駕（りょうが）しなければならない相手がアメリカであったとしても、その前にどうしても排除しなければいけない敵は日本である。その日本を叩き、無力化するためには、北朝鮮は、中国にとって〝必要不可欠の存在〟であることを忘れてはならない。

北朝鮮に、核ミサイルを日本に対して発射させても、中国は何も困らない。北朝鮮はその時、当然、地球上から姿を消すだろうが、憎（に）っくき日本が壊滅的な打撃を受けるというメリットが中国にはある。すなわち、自分の手を汚さずとも日本を「排除できる」のである。

日本のマスコミには、「習近平指導部はコントロールが利かなくなった金正恩体制を見捨てた」などという〝希望的観測〟がよく出てくる。

その度に何をいっているのか、と思う。起爆装置の開発が終われば、いよいよ核ミサイル発射のボタンをいつでも金正恩に「押させる」ことが中国には「可能になる」のである。

二〇一六年七月二十六日、ラオスでの日中外相会談で、王毅（おうき）外相が岸田外相に、

「日本は言動を慎み、過ちを繰り返さないよう忠告する」

と言った意味を、北朝鮮の核問題と関連して考えなければ、本質を見失うということだ。中国にとって、民主主義国家であり、アジアで大きな力を持つ日本は、厄介な存在だ。日本が「自由」「民主」「法治」「高い倫理性」という中国にはない先進国家としての必須の要素をすべて有しているからだ。

しかも、中国には、日本に対して先の大戦で煮え湯を呑まされた忌むべき過去がある。中国が、アヘン戦争以来の「百年の恨み」を晴らし、建国（一九四九年）から百年でその恨みを晴らす「百年マラソン」の最中にあることは、マイケル・ピルズベリー著『China 2049』（日経BP社）に詳しいが、中国共産党指導部の本音を見誤ることは許されないだろう。

あまりの高額さに導入の議論にもなっていない「THAADミサイル（終末高高度防衛ミサイル）」や、イージス・アショアの導入をはじめ、本気で自分たちの命を守る手段を講じなければ、東京が「史上三番目の被爆都市」となる可能性は、「あり得ないこと」ではなくなっているのである。

（二〇一六年十一月号）

「米中衝突」は不可避なのか

米中の衝突は避けられない――そんな不気味な予測が真実味を帯び始めている。

二〇一六年十二月十五日、フィリピン・ルソン島の北西約九十キロの南シナ海で、米中両国がピリピリとした緊張状態に陥った。米海軍の海洋調査船が操作する無人潜水機が、中国に「奪取された」のである。海中・地底を調査する、いわゆる〝海中ドローン〟とでもいうべき探査機である。

事件は数日前から始まっていた。米国防総省によれば、海洋調査船は中国軍の艦艇に数日間にわたって追尾されており、この日、潜水機回収のために目標まで五百メートルの地点に近づいた時、中国軍の艦艇に「割り込まれた」のである。中国側は、あっという間に潜水機を回収。米国側の無線による「返還要求」を無視して消え去った。

米政府が中国に即時返還を求め、強く抗議したのに対し、中国国防省の報道官は、「正体不明の装置を発見し、船舶の航行や人員の安全への危険を取り除くため、専門的かつ責任ある態度で識別調査をおこなった」という談話を発表した。さらに、米国が今回の一件を一方的に公開したことに対して、「米軍が頻繁に艦船や航空機を派遣して偵察や軍事測量を実施していることに断固反対する」と猛烈な批判をおこなったのである。

いよいよ始まったか――。

そんな感想を抱いたのは、私だけではあるまい。米国がいずれ、桁外れの軍事費の膨張によって南シナ海その他で「力による現状変更」をおこなう中国と衝突することは、世界中の指導者の誰もが感じていることだ。私には、それが「海中で始まった」ことが興味深い。

というのも、米国にとって最も怖いのは、中国の原子力潜水艦であり、それをどう探知・把握するかは、来たるべき対中戦の最大課題であるからだ。詳しく言えば、中国の「弾道ミサイル搭載原子力潜水艦（ＳＳＢＮ）」の存在である。同潜水艦の長期間の潜航能力、すなわち「ステルス能力」は、そのまま米国の主要都市への不意の核攻撃が可能であることを意味しており、その恐怖は計り知れない。

逆に、中国側から見れば、ＳＳＢＮが海南島の楡林海軍基地からいかに出航し、どう行動するのかは、絶対に米国に知られてはならない最高の機密情報なのである。

すでに、先進主要国間には、国際的なルールを完全に無視し、覇権国家への道をひた走る中国を「今後どうするか」という共通認識がある。それは、民主党のオバマ政権が二〇一三年九月、「もはや米国は世界の警察ではない」と表明したことによって招いた忌まわしい厄介事でもある。

しかし、トランプ氏は、二〇一六年十二月二日に蔡英文・台湾総統との電撃的な電話会談をおこない、さらに、FOXテレビのインタビューで、従来の〝一つの中国〟政策を維持するかどうかは、「中国の貿易、外交政策次第だ」と踏み込み、「台湾併呑」と「南シナ海の完全支配」を目指す中国に、「ノー」の姿勢を打ち出したのである。

ただちに、中国共産党系の『環球時報』が十二月十二日、「トランプ氏は、ビジネスしかわかっていない。外交を虚心に学ぶ必要がある」と痛烈に非難した。そんな折も折、中国による米潜水機「回収」事件が起こったのだ。

トランプ氏は、国務長官に親ロシア派で知られる米石油大手のエクソン・モービル社CEO、レックス・ティラーソン氏を選び、日本の安倍首相は、ロシアのプーチン大統領取り込みを狙って、自らの故郷にまで同氏を招待した。世界は、これらを日米の「対中戦略の一環」だと見ている。すなわち、〝中国孤立化〟への布石である。

二〇一五年十月から都合四度にわたってオバマ大統領がおこなった南シナ海での「航行の自由作戦」――トランプ新政権は、果たしてこれ以上の行動に出るのだろうか。

米国には、〝伝家の宝刀〟ともいうべき、「IEEPA法（国際緊急経済権限法）」がある。米国の安全保障上、重要な脅威となる相手の資産を「凍結・没収」ができるという恐ろしい法律だ。これを実施されたら、中国経済は一挙に破綻する。両国が本当に戦うなら、武力衝突の前に世界経済は大変な混乱状態に「突入」するのだ。

世界が緊迫の東アジア情勢から目を離せない時代が「ついに来た」のである。私たち日本人が無関心でいいはずがない。

（二〇一七年二月号）

「金正恩のジレンマ」は何をもたらすのか

北朝鮮が〝完全な非核化〟をおこなうはずがない――そんなことは世界中の誰もがわかっていたのに、それでも、ハノイでの米朝首脳会談（二〇一九年二月）にあれだけの注目と期待が集まったのは、心理学でいう「認知バイアス」、あるいは、「希望的観測」なるものが、人間にとっていかに大きいかを示している。

しかし、願望や利害によってまともな判断が歪められるというその認知バイアスと希望的観測に、世界で最もおかされていたのは、金正恩その人であったことに異論はないだろう。

彼は、なぜ「寧辺を差し出せば、制裁解除を勝ち取れる」と信じ込んでいたのだろうか。それこそ、追いつめられた中で一縷の望みにすがる国家の領袖の哀れな姿を浮かび上がらせてくれる。

北朝鮮が自ら破壊したとされる豊渓里の核実験場について、二〇一八年十二月、アメリカの研究機関が「再稼働が可能な施設」と発表した。「建物は今も残っており、施設は操業を休止しているだけで、数カ月で核実験の準備ができる」として衛星写真を公開したのだ。アメリカは北に対して「お前のことを徹底ウォッチしているぞ」と強烈な警鐘を鳴らしたと言える。

それでも寧辺を差し出すことで制裁解除を勝ち取れるとタカを括っていた金正恩らは、会談の真っ最中に蒼ざめることになる。トランプ大統領の脇を固めるポンペオ国務長官、ボルトン大統領補佐官という「対北」強硬派のコンビが具体的な証拠を挙げて詰め寄ってきたのだ。

決裂で国際社会に恥を晒した北朝鮮は、ハノイ会談後、さっそく国内の核施設の再稼働を命じたと思われる。アメリカは即座にこれらをキャッチし、稼働の兆候を衛星写真によって次々と証明している。

米戦略国際問題研究所（ＣＳＩＳ）は、東倉里での西海衛星発射場の再建作業を確認し、「通常の稼働状態に戻っている」と発表。さらに、山陰洞のミサイル工場で運送用車両の動きが活発化していることも明らかにされた。北朝鮮は、いわば〝丸裸〟状態なのだ。

追い打ちをかけたのが、二〇一九年三月十二日に国連安全保障理事会の北朝鮮制裁委員会が発表した年次報告書だ。サイバー攻撃によって、北朝鮮が仮想通貨を実に五億七千百万ドル（約六百三十億円）も盗み取り、弾道ミサイルの開発や実験を民間の工場や空港などで秘かに続行していることを暴露したのである。

「もう騙しは通用しない」――これまで約三十年にわたって国際社会を手玉に取り、数々の援助を勝ち取ってきた北朝鮮も、さすがにこれまでと同様の手口は通用しないことを悟らざるを得なかった。

だが、これを受けて二〇一九年三月十五日、北朝鮮の〝マダム・チェ〟こと崔善姫(チェソンヒ)外務次官は、逆に平壌で記者会見を開き、非核化交渉の難航はアメリカの責任であることを改めて強調した上で、北朝鮮が交渉を中断してミサイルカードを取り出す可能性があることを示唆した。動かぬ証拠を突きつけられ、ついに「開き直った」のである。

国際社会は、トランプ大統領が二度の直接会談で金正恩をあれだけ持ち上げ、「核さえ手放せば、あなたの国は、経済大国にのし上がることができる」と幾度も言及したのに、それでもなぜ全面非核化に乗り出せないのか、疑問に思うに違いない。

そこにこそ、「金正恩のジレンマ」がある。

彼が抱える「ジレンマ」とは何か。それは、核を手放すことは、金正恩にとって「死」

を意味するということである。叔父の張成沢（チャンソンテク）・国防委員会副委員長を処刑した際、彼につながる幹部たちだけでも処刑された者がおよそ千人に達し、その家族ら二万人が収容所送りにされたとの情報が、脱北者たちによってもたらされた。金正恩がトップに就いて以来、虐殺・粛清された人数は想像もつかないのだ。

それほどの恐怖支配を続けてきた独裁者が、その拠りどころである武器を放棄し、経済国家に平穏裡に移行することなど不可能であることを誰よりも知っているのは、金正恩だろう。リビアの最高指導者カダフィがアメリカに大量破壊兵器の放棄という譲歩をおこない、結局、民衆に無惨に殺害されたことが金正恩にとってトラウマであることは想像に難くない。

核を手放して死ぬか、核を手放さずに死ぬか。いずれにしても、金正恩には過酷な運命が待っている。その「金正恩のジレンマ」がいかなる事態を呼び起こすのか。

首脳会談で「ミサイルを撃つことはない」と直接、約束したにもかかわらず、それを裏切った場合、果たしてトランプは何を決断するのか。その時は、日本も間違いなく「重大な決断」を迫られるのである。

（二〇一九年五月号）

北方領土交渉は「原理原則」を忘れるな

二月七日は「北方領土の日」だった。二〇一九年も「北方四島を返せ」というスローガンの下、東京の国立劇場で北方領土返還要求全国大会が行われた。

挨拶に立った安倍晋三首相は「領土問題を解決して平和条約を締結するという基本方針の下、交渉を進めてまいります」と宣言した。

だが、このスピーチにも、そして大会で採択されたアピールにも、北方四島についてこれまであった「不法に占拠」「断じて許さず」という厳しい文言はなかった。安倍・プーチン両首脳の間で、交渉がいよいよ「微妙な段階」に入っていることを窺わせてくれる「北方領土の日」だった。

すでに、安倍首相が一九五六年の「平和条約を締結後、歯舞・色丹を引き渡す」という日ソ共同宣言に基づき、これを「実現しようとしている」ことを国民は知っている。

そういう段階でロシア、そしてその世論を刺激することは、どうしても「避けたい」のである。

だが、本当にそれでいいのだろうか。日本人の多くは、いまだに迷いを持っている。

折も折、そんな日本人の思いを問い直してくれる出来事が勃発（ぼっぱつ）した。

ガルージン駐日ロシア大使と産経新聞の斎藤勉論説顧問との論争である。二〇一九年二月八日付の産経一面の記事、そして二面の「主張」欄を読んだ人はハッとさせられたのではないだろうか。

「九州正論懇話会」で斎藤氏が「北方領土占領は独裁者スターリンの指令による国家犯罪である。日本のポツダム宣言受諾後、四島に入り込み、火事場泥棒的に強奪したものだ」と講演したのは、さる一月二十四日のことだ。

これに対してガルージン大使が二月一日、駐日ロシア大使館の公式フェイスブックとツイッターで反撃した。「あなたは対日参戦したソ連を非難するのか。完全に合法的に行われた南クリール（筆者注＝北方四島のこと）獲得を〝犯罪〟と呼ぶのか。第二次大戦時に日本がナチスドイツの同盟国であったことを忘れたのか。ナチスによってユダヤ人のホロコーストは行われ、またロシアをはじめ、何百万人の命が奪われたことを我々は忘れてはいない」と。大使はナチスドイツと同盟を結んでいた日本を非難し、北方四島は「完全に合法的に」獲得したと主張したのだ。

だが、〝ソ連崩壊〟をスクープして一九九〇年の新聞協会賞を受賞している国際ジャーナリスト、斎藤氏も黙ってはいない。

二月八日付産経が、「スターリンの直接指令で日ソ中立条約を一方的に破って対日参戦し、日本が降伏後に丸腰の四島に侵攻して占領したものが〝犯罪〟でなくて何なのか」という斎藤氏の反論を掲載。四島を奪ったことが、なぜ日本がナチスドイツと同盟国だったことで「合法化されるのか意味不明」とした上で、六十万人に及ぶあのシベリア抑留や、ポーランド将校ら二万人余を虐殺した「カチンの森事件」など、独裁者スターリンの犯罪を糾弾し、「ガルージン閣下にもぜひ、幅広く世界の歴史教科書をお読みいただくことをおすすめしたい」と綴(つづ)った。

二人の論争がこの「微妙な時期」に勃発したことが私には感慨深い。それは、日本人に対して、今回の北方領土交渉に「根本的な問い」を突きつけるものだったからだ。

北方四島には、すでに国後(くなしり)に約八千人、択捉(えとろふ)に六千人、色丹に三千人という計一万七千人のロシア人が住む。仮に交渉が日ソ共同宣言どおり「二島返還」で決着したら、「若者が流した血で獲得した南クリール」と信じられているロシアでは、プーチン政権といえども「吹っ飛ぶ」可能性がある。

一方で日本人には、「あの不法強奪を容認した上で、北方四島全体の七％にも満たない面積の歯舞・色丹で決着するのか」という本音がある。

たとえ対中国、対北朝鮮という国際戦略の中で「ロシアをどうしても味方につけたい」という願望があったとしても、決して譲れない「一線」が日本側にも存在するのだ。

私が気にかかるのは、巨額の経済協力をあて込んで、四島やシベリアの事業などに対して日本の財界人たちがすでに〝前のめり〟になっていることだ。彼らのために「平和条約締結、経済協力ありき」になってはならない。日本は決して焦ってはいけないのである。

だからこそ安倍首相には、破談覚悟で「原理原則に立ち戻って欲しい」と思う。あの不法強奪の国にビタ一文、与えてなるものかという気概を持っておけば、ラブロフ外相やガルージン大使のような「歴史を無視した妄言」など、気にもなるまい。

そもそも本当に北方領土は一部でも返ってくるのか。ダメで元々、全てが雲散霧消してもそれでいいではないか、という姿勢を忘れてはならない。いま問われているのは、日本人の毅然たるその「信念」なのである。

（二〇一九年四月号）

菅新内閣の覚悟が問われる「尖閣墓参」

あちこちで「菅内閣の課題は何ですか」と聞かれる。コロナや規制改革、拉致問題、憲法改正など、菅義偉新内閣には重大案件が目白押しだ。しかし、「国民の生命・財産、領土・領海」を守るのが国家の使命であることを考えると、「尖閣問題」もまた最重要であることは論を俟たない。

私は菅総理に「尖閣諸島戦時遭難事件ご遺族の墓参と、慰霊碑建設の許可を出していただければ……」と申し上げたい。

尖閣諸島戦時遭難事件とは、昭和二十年七月、米軍機による民間疎開船の銃撃遭難事件のことである、戦後のアメリカ統治の沖縄で、長く秘せられていたものだ。

犠牲者は銃撃死、溺死、餓死を合わせると八十人、あるいは百人以上との説もある。今も尖閣諸島の魚釣島には、これらの犠牲者が仮埋葬のままご遺族の訪問を待っている。

尖閣は明治十七年、実業家の古賀辰四郎の探検で開かれ、日本政府は現地調査の末、清国を含むいずれの国にも属していない「無主地であること」を確認し、明治二十八年に閣議決定によって日本領土に編入した。

アホウドリの羽毛（うもう）採取などを始めた古賀はその後、鰹（かつお）漁業や鰹節の製造等に事業を広げ、最盛期は同島に二百四十八人もの人々が生活していた。そのため昭和七年、同島は古賀家に私有地として払い下げられている。しかし、船の燃料が配給制となって以降、事業継続が難しくなり、昭和十五年、古賀商店は同島から撤退し、尖閣は再び無人島に戻っていた。

この間の大正八年には、遭難により同島へ避難した中華民国・福建省の漁民男女三十一人が救助され、その後、遭難者が石垣島に移され、中国へ送り届けたことにより、大正九年に長崎駐在の中華民国領事から石垣村長へ感謝状も送られている。

感謝状には、遭難場所が「日本帝国沖縄県八重山郡尖閣列島内和洋島」（注＝現在の魚釣島のこと）と明記され、尖閣が、れっきとした日本領土であることが示されているのである。

同島には、事業の間に亡くなられた方のお墓だけでなく、戦争時の悲劇による墓地も存在する。

前述の通り、それが尖閣諸島戦時遭難事件がもたらしたものだ。昭和二十年七月、石垣島から台湾へ民間人およそ二百人を疎開させる小型船二隻が航行途中に米軍機の攻撃を受け、一隻は沈没、もう一隻は辛うじて尖閣諸島に漂着した。飢えとその後の米軍機などの攻撃により、約五十日後の救出までに多くの犠牲者が出ることになる。餓死、衰弱死した人々は同地に仮埋葬された。

アメリカの統治下にあった戦後の沖縄で秘せられていたこの話は、徐々に琉球新報の報道や『沖縄県民史』(第十巻)などで知られるようになった。その後、尖閣上陸を目指す民間団体の行動や政治家たちの活動が逆にご遺族との意識の乖離(かいり)を生んだこともあった。

しかし、ここは人道的な観点からご遺族の意向を最重視し、政府がイニシアティブをとり、墓参団の訪問や慰霊碑建設などを是非、おこなっていただきたい。

自民党総裁選の終盤、十年前の尖閣中国漁船衝突事件のことが話題になった。海上保安庁の船にぶつかってきた中国漁船の船長が処分保留で釈放されたことに対して、当時の民主党政権の前原誠司元外相が、

「菅直人首相に呼ばれ、〝船長を釈放しろ。(しなければ)ＡＰＥＣに胡錦濤が来なくな

る〃と言われた」

と爆弾証言したのである。あの大失態は、やはり首相による事実上の指揮権発動であったことが十年の歳月を経て暴露されたのだ。

菅直人首相の行為は言うまでもなく「施政権の放棄」を表わす。犯罪行為さえ処断できないのは「日本は施政権を持っていないことを自ら認めた」ことになり、以後、中国の尖閣への増長を生む最大要因となったことを私たちは忘れてはならない。

これらを踏まえ、新政権には元住民の墓参と遭難事件犠牲者ご遺族の訪問、そして慰霊碑建設等に向けて是非、積極的に動いていただきたく思う。

実は、まだアメリカ統治下の昭和四十四年五月十日、当時の石垣市長と遺族代表らにより初めて遭難事件の慰霊祭が現地でおこなわれ、小さな遭難者慰霊碑が建立（こんりゅう）されている。その場所もおそらく風雨によって今では発見するのに苦労するだろう。

多くの犠牲者の遺骨が仮埋葬のまま、今もご遺族の訪問を待っているのである。日本の苦難と共に歩んできた尖閣の歴史を私たちも改めて胸に刻みたい。

（二〇二〇年十一月号）

第六章 妄想する韓国・戦う台湾

新たな日韓関係に踏み出した「意義」

これまでの日本外交とは違う――私は大袈裟ではなく、そのニュースに接した時、そう思った。

二〇一五年二月十六日、財務省が日本と韓国との「通貨交換（スワップ）協定」を二月二十三日の期限切れとともに「終了する」と正式に発表したことだ。期限切れとなる額は、「百億ドル」というから、一兆二千億円近くにもなる。二、三日前から観測報道が出ていたとはいえ、実際にそのことが決定されたというニュースを聞いて、私は日本が韓国に対して、今までとは違う姿勢をとっていくことを実感した。

つまり、日韓関係が「新しい段階に入った」ということである。韓国は日本とのスワップ協定の終了によって、いざという時の経済的信用を失った。「中国とのスワップ協定があるから大丈夫」という強気の声も韓国国内からは聞こえてくるが、ことはそんな単純なものではない。

それは、「何か」があっても、日本は今後、「無条件に」韓国に手を差しのべるつもりはない、という明確な意思表示でもあるからだ。

読売新聞は、翌日付朝刊でこう報じている。

〈日本政府関係者は16日、「（出国禁止になっている）産経新聞前ソウル支局長の問題など日韓関係がこじれていることもあり、日本政府として延長を断った」との見方を示した〉

ここまで関係がこじれているのに、なぜわざわざ相手を助けるような「協定」を延長しなければならないんだ――日本は、はっきりと、そう韓国に意思表示したのである。

私は将来、本当に韓国と「真の友好」を結ぶ意思があるなら、今は徹底して韓国との間に「距離を置く」べきだと思っている。

女子挺身隊としての慰安婦強制連行という虚偽の喧伝、李明博大統領（当時）の竹島上陸、繰り返される歴史認識問題……など、日本は、これまで韓国にどれだけのことをされてきただろうか。

韓国社会では、日本と日本人は「悪」そのものである。ひとたび「親日」のレッテルを貼られたら、迫害と執拗な嫌がらせを受け続ける。また、二〇〇五年に成立した「反日法（親日反民族行為者財産帰属特別法）」によって、日本統治時代に日本に協力した人物が蓄えた財産は、たとえ代を越えた「子孫」であっても「没収」される。

直近では、産経新聞の加藤達也前ソウル支局長が、韓国の有力紙に掲載されたコラムに書かれていた内容を「出処を明らかにした上で」論評しただけなのに、もとの有力紙のコラムが問題にされないにもかかわらず、「名誉毀損」として起訴された。

二〇一四年八月七日付で加藤氏に対してソウル中央地検が出国禁止措置を取って以降、すでに「八回」も延長が繰り返され、この二月にも出国禁止の停止を求めた仮処分申請が棄却された。日本人に対する明らかな人権侵害である。

私は、国と国との間には、相手を尊重し、お互いの立場を思いやる「礼儀」が最低限必要だと思う。その上で関係が深まり、「友好」が発展していくものである。だが、失礼ながら日本に対する韓国の姿勢に、そんなものは微塵もない。どんなに足蹴にされても、ただ日本は懸命に韓国に尽くしてきただけである。

一九九七年のアジア通貨危機の際、韓国はＩＭＦ（国際通貨基金）の管理下に入るという悪夢の事態に陥り、日本が中心になって短期債務の繰り延べを実現して、これを助けた経緯がある。

またリーマンショックに端を発して韓国で通貨危機が起こった二〇〇八年も、日本はスワップ協定に基づいて巨額の資金を融通した。しかし、それにもかかわらず、「日本は米・中に比べて融通が遅かっただけでなく、出し惜しみをしていた」と、逆に韓国から〝お叱り〟を受けたものだった。

「日本は脅せば頭も下げるし、カネも出す」

長きにわたって、日本外交はそう揶揄され、実際に韓国は日本に対して友好とは程遠い態度をとり続けた。だが、今回、安倍政権は、これまでとは違う「対韓外交」に、はっきり踏み出したのである。

私は、逆に、「韓国は果たして日本と距離を置いて大丈夫なのだろうか」と懸念する。いつ何をするかわからない北朝鮮と対峙しているのに、その北朝鮮の後ろ盾である中国に傾斜し、一方で資本主義陣営である日本を怒らせ、遠ざけたのだ。韓国が安全保障上、極めて不安定な状態にあることは論を俟たない。

本来、頼みにすべき日本との距離が開いていく韓国。一方、日本はやっと是々非々の毅然とした外交姿勢を見せ始めた。新たな日韓関係が今後、どんな経過を辿っていくのか、興味は尽きない。

（二〇一五年四月号）

現実化する中国による「朝鮮半島統一」

中国の高笑いが聞こえてくるようだ。複合的に進行している朝鮮半島の事態に、喜びを隠せないのは中国だからだ。

事実上、中国が朝鮮半島を統一する――そんなことを言っても、俄(にわ)かには誰も信じないだろう。しかし、その悪夢が、実際に進行している。そのことを考えると、日本の目と鼻の先の朝鮮半島情勢に、これ以上無関心でいるわけにはいかないだろう。

憲法裁判所の八人の判事が「全員一致」で朴槿惠(パククネ)大統領罷免を決定した時、歓喜の涙で絶叫する人を含め、拍手喝采する韓国民を捉えたニュース映像に、国際社会は言葉を失った。それは、自分たちが選んだ大統領が糾弾され、奈落に墜ちていく姿を見るのが「そこまで嬉しいのか」という違和感にほかならない。

周知のように、歴代の韓国大統領には、亡命、暗殺、逮捕、自殺……等々、悲惨な末路が待っている。今回は、〝スンシル・ゲート事件〟によって、現職大統領が史上初めて罷免されてしまった。

韓国が「法治国家」ではなく、すべての法律の上に国民の「感情」が聳え立つ「情治国家」であることは広く知られている。しかし、罷免決定の折の国民の異常な熱気と興奮は、世界を唖然とさせたのである。韓国発のニュースは、これを嘆く保守派の人たちのインタビューも同時に映し出していた。

「これで、北韓追従勢力が政権を取ることが決まった。韓国が滅びることを望んでいる奴らの思い通りだ」

混乱の中でも「韓国が滅ぶ」という現実を見ている国民もいることを私は知った。朴大統領罷免は、冒頭のように「中国の朝鮮半島統一」への第一歩を意味するものであり、そのことがわかっている国民も存在していたのである。

二〇一七年三月十六日に発表された韓国の支持率調査で、最大野党「共に民主党」の文在寅氏が三七・一％と「十一週連続」で圧倒的首位を独走していることが明らかになった。今後の保守派の巻き返しを考慮しても、文在寅政権誕生は、ほぼ間違いない。では、「文大統領の誕生」とは何を意味するのだろうか。

極めつきの「反日政治家」の文氏が日本に対して慰安婦合意破棄を言い出すことに誰

も驚きはしない。その反日政策によって、日本の〝韓国離れ〟はますます加速するだろう。だが、問題は文氏の以下の発言で予想される今後の「国の基本政策」である。

「私が大統領になったら、ワシントンではなく、まず平壌に行く」

「私は、ＴＨＡＡＤ（終末高高度防衛ミサイル）配備は延期すべきと考えている」

これは、予想される反日政策などとは比較にならない大きな意味を持っている。一九九八年から二〇〇八年まで、金大中、盧武鉉という親北政権下で十年も続いたあの「太陽政策」。物資も含めた太陽政策による韓国の北朝鮮支援は、実に七十億ドル（当時のレートで約八千億円）にも達した。しかし、その巨額援助の結果、朝鮮半島情勢はどうなっただろうか。援助金を惜しげもなく核開発に投じた北朝鮮は、今や、国際社会が最大の懸念対象とする存在にまでのし上がった。

文氏は、その盧武鉉時代に秘書室長を務めていた人物だ。東京基督教大学の西岡力教授は、文氏が盧大統領の秘書室長だった当時、国連の「北朝鮮人権状況決議」に賛成するか、棄権するかで揉めた折、文氏が「北朝鮮の意向」を聞いた上で棄権にまわった事実を指摘している。当時の韓国外相が執筆した回顧録にそのことが記述されているのだ。

つまり、国連決議に対する態度を北朝鮮にお伺いを立てて決めようとするような人物が韓国を率いる大統領となるのである。

ＴＨＡＡＤ配備問題で韓国を徹底攻撃する中国と、核実験と弾道ミサイル発射訓練で国際社会への挑発をつづける北朝鮮、そして、両国に極めてシンパシーを持つ人物が大統領となる韓国。それらは、朝鮮半島のイニシアティブを「中国が握ること」を意味する。

だが、韓国の国民がノー天気にその事態を傍観していても、韓国軍はそれを許すのだろうか。軍事クーデターは、いわば韓国の伝統ともいうべきものだ。すでに反朴デモを主導し、北朝鮮の影響を強く受ける労働団体が、〝次〟に向けて「連邦制で（半島を）統一せよ」という要求をおこない始めた。

果たして韓国軍は北の軍門に降(くだ)ることを許容するのか。新政権は軍とどう対峙し、どう懐柔するのか。興味は尽きない。

目に見えるかたちで左傾化が進んでいく朝鮮半島。中国だけが高笑いする「悪夢の時代」の到来である。日本の安全保障を根底から考え直さなければならない「時」がまさに来ているのである。

（二〇一七年五月号）

壮烈なる慰安婦「謝罪碑文」書き換え

この国には、不思議な人々がいる。

事実でもないことをデッチ上げて吹聴し、日本を貶めて喜ぶ人たちである。時には、外国人にその虚偽をレクチャーし、信じ込ませて、国際機関を利用して日本に打撃を与える人たちもいる。

辿ってみると、「在日」として生まれ育ち、日本に恨みを抱く人たちであったり、あるいは、若い時に反政府運動に没頭し、「反日」を頭に刻み込んだ人たちだったりする。いずれにしても、自分の生まれた国を愛せない不幸な人々である。

そんな人間が信奉し、利用し尽くした存在が、故・吉田清治氏（平成十二年、八十六歳で死去）である。

「私は、済州島で慰安婦狩りをした」

そう〝告白〟して、メディア、特に朝日新聞にヒーローとして持ち上げられた御仁だ。

だが、日本と韓国の学者やジャーナリストが済州島に行って調査にあたったが、吉田氏の言う「慰安婦狩り」の証拠や痕跡は、ひとつも見つからなかった。

吉田氏の証言を金科玉条（きんかぎょくじょう）として、朝日は延々と慰安婦報道を続けた。貧困ゆえに春を鬻（ひさ）ぐ商売に就かざるを得なかった薄幸な女性たちは、これによって、日本軍や官憲による「強制連行」の〝被害者〟となったのである。慰安婦問題を日本という国家の「犯罪」とするには、吉田証言は「不可欠」だったのである。

だが、もたらされた結果は無惨なものだった。

戦時中の女性勤労奉仕団体である「女子挺身隊」を慰安婦と混同した朝日の報道によって、韓国では「二十万人におよぶ慰安婦強制連行」がひとり歩きし、いくら事実を説明しても聞く耳を持たぬ国民性もあって、慰安婦とは、日本軍の〝性奴隷〟であったという虚偽が定着した。

しかし、実際には、慰安婦は、当時の新聞に毎日のように〈慰安婦募集　月収三百圓（さんびゃくえん）保証　委細面談〉といった募集広告が掲載され、兵隊（上等兵）の月給が「十圓」だった時代に、その三十倍もの給料を保証されて、身を売る商売についた女性たちである。強制連行などという虚偽が入り込む余地など、まったくなかった。しかし、真実の歴史には目を向けず、韓国の人々は、慰安婦の「少女像」なるものを世界各地に今も建て続けている。あの貧困の時代に、薄幸な女性たちが存在したことを「女性の人権問題」として大いに語るべきだろう。しかし、どうしても日本の「国家の責任」としたい人々が、歪(ゆが)めた〝史実〟を発信し、そのため日韓両国民の間には、修復不能とも言える傷と溝(みぞ)ができてしまったのだ。

その不幸をもたらした主役である吉田清治氏の長男（六八）の壮烈な行動を記した『父の謝罪碑を撤去します』（大高未貴著　産経新聞出版）が発刊されたのは、この二〇一七年六月上旬のことだ。

平成二十六年（二〇一四年）八月、朝日は、慰安婦報道に関する吉田氏証言部分を虚偽と判断して、過去の記事を取り消した。しかし、吉田氏が私費を投じて昭和五十八年に建てた韓国の忠清南道天安(チュンチョンナムドチョナン)市の「謝罪碑」は、健在のままだ。吉田氏は、除幕式に出席した際、居並ぶ韓国のメディアの前で、謝罪碑に向かって土下座した。いくら朝日が父の証言に基づく記事を取り消そうと、この謝罪碑は消えない。吉田氏の長男は、それが許せなかったのである。

〈父が発信し続けた虚偽によって日韓両国民が不必要な対立をすることも、それが史実として世界に喧伝(けんでん)され続けることも、これ以上、私は耐えられません〉

と、この謝罪碑の文言を書き換えようとしたのだ。ジャーナリスト大高未貴氏によって、謝罪碑の文言を人の手を借りて書き換えるまでの長男の行動と思いがルポされた。長男は、病気の父と母、そして弟を抱え、ひたすら家族のために働き続け、父・清治（本名は「雄兎」）を看取った人物でもある。

コンクリートの地面に埋め込まれた謝罪碑文が「慰霊碑　吉田雄兎　日本国　福岡」と書き換えられるまでのありさまは凄まじい。二〇一七年三月、思いはついに現実となる。必死で長男に協力し、実現しようとする人々の熱い思いも、読む者の心を震わせる。「熱狂的な韓国人の中で謝罪碑が政治問題化したらもう消せなくなります。誤った歴史が残らないようにしたい」

亡き父親が語った虚偽のせいで、どれほど多くの人たちがつらい思いをしてきたのか。長男が語る胸の内は、私たちに多くのことを考えさせてくれる。

私は、長男の言葉の数々を、〝慰安婦活動家〟たちに聞かせたいと思った。それは、真実をそっちのけにして日本を貶めたい活動家たちに、人としての「良心」を問うものだからだ。

（二〇一七年八月号）

崩壊迫る「文在寅政権」が取り憑かれた幻想

「もう話すこともないし、再び対座する考えもない。（文氏は）まれに見る図々しい人物だ」

日本の植民地支配からの解放を記念する二〇一九年八月十五日「光復節」での演説に対して、翌日、北朝鮮からそんな罵声を浴びた文在寅大統領。激しい日本批判を続け、逆にホワイト国除外の措置を日本から受けてしまい、米国も日本を支持する基本姿勢は変わらず、文氏はまったく「四海に味方なし」の状況に陥っている。

日本憎悪、親北傾倒、経済音痴という言葉で称される文大統領が「破滅」に向かってひた走っているのは衆目の一致するところだ。日本がその韓国を冷静に見つめ、「助けない、教えない、関わらない」の〝非韓三原則〟を貫いているのは素晴らしい。

そんな韓国で起こった「反日種族主義」批判が今、注目を集めている。反日種族主義とは、なんの根拠もない嘘で積み上げた〝史実〟に基づき日本を無条件に敵対視する韓国人特有の感情的な反日主義を表わす。

ソウル大学の李栄薫（イヨンフン）名誉教授らによる造語だ。李教授は、二〇一九年七月に研究者六人の共著として『反日種族主義』を刊行（のちに文藝春秋から翻訳本が出版）。各書店で不買運動に遭（あ）いながらも部数を伸ばし、ベストセラーの仲間入りを果たしている。

同書では、慰安婦の強制連行など存在せず、性奴隷説がいかに虚構であるかを具体的に記し、戦時労働者についても、毎年十万人を超える希望者が自発的に日本に渡り、賃金で差別を受けることもなく労働に従事し、休日には大いに娯楽を楽しんでいたありさまを書いている。

そして日本国内の労働力が逼迫（ひっぱく）し、一九四四年九月から半年だけ存在した徴用工も、戦争末期の混乱で短期間の未払い賃金が発生したに過ぎず、韓国政府は日韓請求権協定に基づき朴正熙、盧武鉉政権時に二度に亘って補償を行ったことも記述されている。

要するに、同書は、韓国における反日は「迷信」や「神話」の類いであると指摘し、大多数の韓国人が信じ込んでいる「日本が抑圧し、搾取し、虐待を行い、それを反省、謝罪もしていない」というのは全くの虚偽であることを著したのである。

批判をものともせず李教授はＹｏｕＴｕｂｅでも日本語の字幕をつけて、この虚偽の歴史を告発。これまで韓国で「常識」とされてきた歴史をすべて引っくり返したのだから、韓国人の衝撃と怒りは想像もつかない。

ソウルでは反日デモを上まわる規模の文政権批判デモも行われており、ウォン安が進み失業率が増加するにつれ、文氏は追い詰められている。そんな中での良心的学者の〝反乱〟だけに青瓦台もショックを隠せないのである。

文氏は一体、何を目指しているのか。彼の本音が垣間見えたのは、先の光復節での演説だ。ここで文氏は、「遅くとも二〇四五年までに南北統一を成し遂げ、朝鮮半島に八千万人の単一市場を誕生させ、経済規模で世界トップ六入りする」という希望を語っている。

ああ、やっぱりそうだったのか——。

それは、多くの研究者を「納得」させた演説だった。朝鮮戦争中に北朝鮮・ハムフンからの避難民の息子として生まれた文氏は、民主化運動で検挙された拘置所内で司法試験合格の報を受けた極めつきの〝親北人士〟だ。光復節の演説は、「やはり彼の望みは南北統一だったのか」と多くの人を合点させたわけである。

その文氏が逮捕されていた二十七歳の時に北朝鮮の金日成主席によって提唱されたのが「高麗民主連邦共和国」構想である。

韓国の〝漢江の奇跡〟で経済状態が完全に逆転し、米軍の存在によって軍事的南北統一も諦めざるを得なくなった金日成は、長く対峙してきた朴正煕大統領が前年に暗殺されたチャンスを狙って満を持してこの構想を提唱してきたのである。

スローガンは「自主・平和・民族大団結による統一」。一つの民族・一つの国家・二つの制度・二つの政府の下での連邦制による「統一」を持ちかけたのだ。

左翼運動に熱中していた文氏は、この構想が忘れられなかったに違いない。その時に実現のネックになったのは、韓国内での「共産主義政党結成」や「在韓米軍の撤退」である。

しかし、根っからの親北人士・文氏には、これらはネックでも何でもない。「金正恩が尊敬する祖父・金日成氏の構想だけに北が受け入れる余地は十分ある」と文氏は考えたかもしれない。

だが、光復節演説の翌日、北朝鮮は祖国平和統一委員会報道官が冒頭のように「（文氏は）まれに見る図々しい人物だ」と、これを一蹴したのである。

経済がどん底に陥り、通貨危機が迫る韓国。実現不能の「幻想」に取り憑かれた国家の領袖――どこにも理解者がいないこの〝夢想革命家〟と運命を共にする韓国を思うと、他人事ながら胸が痛くなる。

（二〇一九年十月号）

痛烈なる「台湾人」の意思表示

これほどの痛烈な「意思表示」を誰が予想しただろうか。

それは、台湾人による中国への明確な「拒否宣言」であり、同時に台湾人の「生存への願望」が迸ったものでもあった。

二〇一六年一月十六日、今後の「東アジア」を占う台湾総統選挙は、事前の予想を遥かに上まわり、民進党の蔡英文が国民党の朱立倫に三百万票の大差をつけるという〝地すべり的圧勝〟を果たした。同時におこなわれた立法院選挙でも、定数百十三議席の内、六十八議席を獲得するという大勝利となった。

「私は成熟した台湾の民主に感謝します。皆さん、この民主を守っていきましょう」

選挙戦で、彼女は一貫してそう訴えつづけた。

「台湾は民主的で自由な国です。一人一人が、すべて自分の権利を持っており、すべての国民に選択の自由が保証されています。それが台湾です！」

言うまでもなく、これは、自由のない中国に、自由の国・台湾が「このまま呑み込まれていいのか」という、強烈なアピールにほかならなかった。そして、その答えを台湾人が選挙で「明確に出した」ことになる。

「力による現状変更」によって南沙諸島の軍事拠点化を進め、世界中の非難を浴びている中国。しかし、中国が台湾を併呑するには、「政治」さえ押さえれば容易に実現できる。思うがままの政権が台湾に生まれると、例えば、中国企業による台湾の不動産購入を可能にする法律をつくったり、台湾企業への株投資等の制限を撤廃させれば、たちまち台湾は呑み込まれてしまうのだ。そういう政策を実現してくれる政権が台湾に誕生するだけでいいのである。

これが「平和統一」、すなわち「武力なき併呑」「目に見えない侵略」と言われるものだ。他国が領有権を主張する島に軍事基地を建設して非難を浴びるような方法より、中国にとって遥かに都合がいいことは当然だ。

国民党との接近を図り、馬英九政権を懐柔して、ついに中国は二〇一五年十一月、歴史的な「中台首脳会談」を実現した。蔣介石と毛沢東が、血で血を洗う戦いを繰り広げた国共内戦以降、国民党と共産党とのトップ会談は、史上初めての出来事だった。そして世界を驚かせたのは、そこで両者が〝ひとつの中国〟で一致したことである。いや、これを全世界にアピールするために習―馬会談は開かれたと言ってもいい。

つまり台湾人は、このまま国民党政権が続けば、中国に呑み込まれるという、ぎりぎりまで追い込まれていたのである。台湾人が今回の選挙で「判断」を誤れば、台湾の存続自体が難しい事態だったと言える。そんな状況に置かれたことがない日本人には、台湾人の危機感はとても理解できないだろう。

今回の勝利の最大の〝立役者〟は、なんといっても二〇一四年三月、馬英九総統が進めた中台間の「サービス分野の市場開放」をおこなうサービス貿易協定に反発し、立法院を占拠した「ひまわり運動」の若者たちである。

三週間にわたった立法院占拠によって、中国に異常なまでの接近をはかる国民党と馬政権への失望が台湾の隅々まで広がっていった。そして、同年十一月におこなわれた統一地方選で民進党が圧勝するという事態にも繋(つな)がったのである。

中国との過剰な接近に〝ノー〟を突きつけ、現状維持を選択した台湾人。その強固な意思がこれほどの大勝利をもたらしたのだ。

「歴史上、前例のない大敗だ」

開票速報がつづく二〇一六年一月十六日午後七時過ぎに、朱立倫が発した敗北宣言の言葉が、すべてを表わしていた。

日本は幸いに、この選択に救われたと言える。台湾併呑は、台湾海峡の中国による〝内海化〟を意味する。

中東からの石油をはじめ、さまざまな資源が、このルートで運ばれている。日本の船舶は、台湾海峡を一日およそ三百隻も航行しており、それが中国に航行料金を支払わなければならなくなる事態は何を意味するだろうか。安全保障上も極めて大きな問題が生じてくるだろう。

台湾では選挙前、中国の人民解放軍の元中将が語った言葉がネット上で話題になった。

「われわれは、蔡英文が当選すれば寛大ではいない」

「私たちの猛撃を一発受けなければ、彼らは目を覚まさない」

「中国が台湾問題を徹底解決する時期はすでに到来している」

戦争を抑止するためには、「日・米・台」の真の意味の連携が不可欠だ。蔡英文政権誕生で、新たな「東アジア」の歴史が始まったと同時に、それは、私たち日本人の意識改革が求められる時代の到来を告げるものでもあったのである。

（二〇一六年三月号）

〝老台北〟が夢見た台湾の未来

「涙が止まらないんだ。もう、止まらないんだよ。多くの仲間が死んでいった。みんな一所懸命頑張ってね。でも（この日を見ることなく）死んでいった。今まで、本当に多くの人たちが頑張ってくれた……だから涙が出てしまうんだ」

二〇一七年七月十七日早朝、〝老台北〟こと、蔡焜燦氏（享年90）が台北市内の自宅で亡くなったという報を受けて、私は、蔡氏のそんな言葉を思い出していた。

二〇一六年一月十六日午後、台湾総統選の投票日に私は蔡氏と一緒にいた。場所は、台湾建国連盟が入る台北市杭州南路のビルの一室である。月刊誌に依頼され、私は蔡氏へのインタビューをおこなっていたのだ。

事前の情報や世論調査で、この日に野党・民進党が地滑り的な大勝利を収めることが確実視されていた。それは、史上初めて本省人（台湾人）の政党である民進党が総統選挙と立法院選挙に両方、勝利することを意味していた。蔡氏ら台湾人にとって、言葉に表わすことができないほどの「悲願」の成就である。

日本の敗戦で日本の統治下を離れた台湾は、苦難の道を歩んだ。大陸から支配者としてやってきた国民党の蔣介石ら〝外省人（がいしょうじん）〟によって、二二八事件という住民虐殺事件が勃発し、その後、三十八年間に及ぶ世界最長の戒厳令下で恐怖の白色テロ時代が続いたのだ。

犠牲になった人々の数は、今も明らかになっていない。二二八事件だけで、三万人近い台湾人が殺され、その後、言論、表現、思想など、あらゆる自由が奪われた中で、台湾人は暗黒の時代を生きた。蔡氏が経験した恐怖は、私たち日本人には想像もできない。そんな時代を経て、ついに真の意味で本省人の政治がスタートする時に蔡氏は、ただ涙、涙だったのだ。

私にとって、蔡氏は特別な存在だ。司馬遼太郎の『街道をゆく　台湾紀行』の中で、日本をこよなく愛する〝老台北〟として、蔡氏は登場する。以来、氏は、私たち台湾・中国・東アジアをフィールドとするジャーナリストの間でも〝老台北〟の愛称で親しまれてきた。

愛すべきキャラクターと共に、蔡氏の特徴は、その鋭い批評眼と毒舌にある。あやふやな知識人は、たちまち丸裸にされ、けちょんけちょんにされてしまう。

私は台湾を舞台にしたノンフィクションをいくつも上梓している。そのため、私にとっては、自分の作品の感想を蔡氏から伺うのが秘かな楽しみであり、同時に畏れでもあった。蔡氏の批評は、作品の中に出て来るひとつひとつの「言葉」に及ぶ細かいもので、どんな感想が飛び出してくるのか、本当に興味深かった。

例えば、戦争中の若者の心情を「諦観」という言葉を用いて私が作品の中で表現したくだりでは、

「あなたは、諦観を〝あきらめ〟という意味ではなく、時代への〝怒り〟と自らの運命に対する〝哀惜の情〟を表わした言葉として用いている。本当に感動した。あの言葉と、あなたの解釈こそ、まさに、当時の私たちの気持ちを表わしている」

蔡氏は、そんな言葉で若輩の私の作品を評価し、勇気づけてくれた。総統選の当日、蔡氏が遺言のように語ったこんな言葉も思い出す。

「私は、自分にとって〝母国は日本、祖国は台湾〟といつも言うんですよ。日本の敗戦から、台湾人は茨の道を歩んできた。それは、台湾の運命なんだ。日本が負けた後、やってきた蔣介石たちは台湾人を虫けらのように扱った。

しかし、日本人は違う。厳しかったが、同時に温かかった。私たち日本語世代はそのことを知っている。日本の助けがなかったら、台湾はやっていけない。日本の側から言っても、台湾が中国に呑み込まれたら台湾海峡はどうなりますか。台湾をとられたら日本はどうなりますか。

私はもう若い人たちに〝頑張ってくれ〟と言うしかないんだ。戦後七十年が経ってこういうこと（注＝選挙での勝利）が巡ってきたことは本当に運命だと思う。私はそれを見ることができた。だから、どうしても涙が出てしまうんだ」

汚職がなく勤勉性と高い道徳心を重んじる社会、挫（くじ）けない精神、法の支配……台湾の人々が日本統治時代に学んだことは、今の日本人にとっても「手本」になるものに違いない。蔡氏は、日本と台湾の若者同士が、高い道徳心を共有しながら、今よりもさらに関係を深めていく重要性をくり返し語った。

ベストセラーの著書『台湾人と日本精神（リップンチエンシン）』で、「日本人よ、胸を張れ」と訴えた蔡氏は、信頼に基づく理想の日台関係こそ東アジア安定の基礎であることを生涯、主張し続けた。

日本と台湾の未来は、まさに蔡氏の思いが実現するかどうかにかかっている。〝老台北〟の遺言を、私たちは決して忘れてはならないだろう。

（二〇一七年九月号）

激動の台湾政界と台南「慰安婦像」

アメリカと中国の経済戦争で東アジアの緊張感が増す中、台湾政界も激動期に突入している。

来たる二〇一八年十一月二十四日、二〇二〇年の年初に予定されている総統選の前哨戦「台湾統一地方選」がおこなわれる。特に台北、新北、桃園、台中、台南、高雄の六直轄市には、人口の約七割が集中しており、この六市長選の勝敗が直接、政局に影響を与えることは必至だ。総統選まで一年余しかなく、事実上、次期総統選と立法院選の「前半戦」と言っていい。

私は二〇一八年十月半ば、久しぶりに台湾を訪れた。講演と拙著『汝、ふたつの故国に殉ず——台湾で「英雄」となったある日本人の物語』(角川書店)の映画化の下交渉のためである。

今回の訪問で私が最も行きたかったのは、台南だった。台湾の古都であり、本省人と呼ばれる台湾人の勢力が強く、必然的に「親日」では有数の土地柄だ。もちろん、今の政権を握る民進党の牙城でもある。

しかし、そんな台南に今年（二〇一八年）八月、突然、「慰安婦像」が建った。「あの台南になぜ？」と、台湾に関心が深い日本人も仰天しただろう。国民党が自らの台南支部の土地に慰安婦像を設置し、日本のイメージダウンを図ったのである。除幕式は、馬英九前総統が音頭を取り、式典後は台南市長選に出馬する国民党公認候補の街頭イベントが開催された。

中国との統一を目論む国民党がいよいよ慰安婦問題を前面に押し出して、日本への露骨なネガティブキャンペーンを始めたのである。

私が気になったのは、そのことに対する報道の中に「湯徳章像への反発や、あてつけもあったのではないか」という論評があったことだ。

湯徳章、日本名・坂井徳章こそ、前述の拙著『汝、ふたつの故国に殉ず』の主役であり、悲劇の英雄である。

熊本県宇土市出身の日本人の父を持ち、台湾人の母を持つ徳章は、生まれながらにして「日本人」であり、同時に「台湾人」でもあった。八歳の時に父と死に別れた徳章は、貧困のどん底から苦学して弁護士となり、台湾人の人権獲得のために生涯を捧げた。

一九四七年二月に勃発した国民党による台湾人虐殺事件、いわゆる「二二八事件」で、徳章は、多くの台南の人々の命を救った上で、日本人であるがゆえに濡れ衣を着せられ、四十歳の若さで国民党によって処刑される。

しかし、公開銃殺の場でも毅然とした態度を崩さず、「私の身体には大和魂の血が流れている！　台湾人、万歳！」と叫んで果てた。

その姿は、国民党支配の世界最長の戒厳令下で、秘かに台湾人の間で語り継がれ、徳章の死から実に六十七年が経過した二〇一四年、徳章の命日は、正式に台南市の「正義と勇気の日」に制定されるのである。

その制定時の市長こそ、現行政院院長（日本の首相に相当）の頼清徳氏である。一九九八年には、処刑の現場である公園はすでに「湯徳章紀念公園」となっており、徳章の銅像も建っている。その存在は台南の誇りであり、同時に日台の絆の象徴でもある。

だが、国民党は、公園から目と鼻の先に慰安婦像を建てたのだ。その地を訪れた私は、想像していたより敷地が広く、説明書きも壁一杯の大きなものであることに驚いた。そこには、

〈騙しや脅迫、拉致等の方式で、占領区の若い女性を「慰安婦」として強制徴用して日本軍の姦淫に供し、被害された女性は約20万ないし40万人に上る〉

と支離滅裂な日本語で説明されていた。今では否定されている日本による慰安婦の「強制連行」をプロパガンダしているのである。駐日代表である元行政院院長の謝長廷氏が、「台湾内部で国民党が〝反日・仇日感情〟を引き起こすことを目的としたものだ」として、強い不快感を表明したのも無理はない。

年金改革や労働規制問題等々で失敗して国民の不満が増大し、現在の蔡英文政権の支持率は三〇％台と低迷しており、それに呼応して国民党の支持率が回復基調にある。

しかも、二〇一八年四月、中国からの「台湾独立」と、独立の是非を問う「住民投票実施」を掲げる喜楽島聯盟が李登輝元総統も名を連ねて発足し、民進党の支持層も、分裂を余儀なくされている。慰安婦像設置は、まさにそんな間隙を突いたものだった。

周知の通り、馬氏は二〇一五年十一月、シンガポールで習近平・中国国家主席との間で「一つの中国」の原則堅持で合意しており、仮に国民党が政権を奪還すれば、中国の「台湾併呑」が現実味を帯びることになる。その意味で、選挙の結果は、大袈裟にいえば東アジアの今後の動向を左右するものでもある。

沖縄をはじめ各地への中国の工作が露骨さを増す中、台湾の政治情勢は、まさに風雲急を告げている。

（二〇一八年十二月号）

台湾の「中国化」を阻止した香港からの檄

二〇二〇年一月十一日午後九時。台北市中正区北平東路の民進党本部前に設えられたステージの前には、四年前の総統選に勝るとも劣らない数の群衆が詰めかけていた。

開票が進むにつれ、蔡英文の得票数が史上最多の八〇〇万票に迫っていた。立法院選も、民進党が過半数を超えることは確実になっていた。

当確が出る度に、大歓声が巻き起こる。異様な熱気の中、ステージの上でスタッフが勝利の雄叫びを上げていた。

「われわれ台湾人は自由を守り抜いた！　蔡英文は、ここ台湾が自由で民主の地であることを世界に示したんだ」

「ここには香港の人たちも沢山来てくれている。香港を取り戻せ！　時代の革命だ！　台湾はあなたたちを応援する！」

「私たちは投票によって香港のために声を上げた。それは私たち台湾のためでもある！」

民進党の緑の旗に交じって、「光復香港　時代革命」という旗が打ち振られていた。黒地に白い文字の香港デモ隊の旗だ。

ああ、香港からこんなに多くの若者が来てくれていたのか。喜びに満ちた彼らの表情を見て、私は胸が熱くなった。まさに彼らこそ、蔡英文勝利の立役者であり、「真の主役」だったからだ。

午後九時四十分、待ちに待った蔡英文がステージに姿を現わした。支持者の興奮は頂点に達した。

「おめでとう！　ありがとう！」――大歓声の中、蔡氏が演説を始めると群衆が静まり返った。

「私たちは引き続き、台湾を守り、民主を堅持し、改革を進めます。皆さん、私たちが全員でこの〝自由の地〟〝民主の城〟を守り抜いたのです。同時に全世界の民主国家も、そして多くの香港の友人たちも今日、私たち全員で決したことを喜んでくれていると信じます」

噛みしめるように話す蔡英文。極めて理性的だ。

「台湾人の声、民主の声が世界に届きました。対岸（中国）には、この台湾人の選択を直視するよう言いたい。台湾海峡の安定を維持する責任が双方にあります。北京政府に平和・対等・民主・対話を心からお願いしたい。この八文字が、長く両岸に安定的な発展と交流をもたらすでしょう」

私は、台湾総統選を長く見てきている。二〇一二年の総統選で当時の馬英九総統に挑戦して敗れた時の蔡英文の姿も見ている。どこか頼りなげで自信のなさそうな表情は忘れられない。だが四年後の二〇一六年、国民党の朱立倫候補と争って政権を奪取した時は、心の中の高揚感が手に取るようにわかる演説ぶりだった。

だが、今回は違った。興奮することなく、群衆一人ひとりに話しかけるような落ち着きをもった演説だった。

また成長した——私は、年と共に成長する蔡英文の姿に感慨を新たにした。

「一国二制度」の否定

だが、この勝利は奇跡だった。一年前、蔡英文が再選すると考えていた者は、ほとんどいなかったからだ。二〇一九年一月、蔡英文は世論調査で国民党候補にダブルスコア以上の大差をつけられていた。

二〇一八年十一月二十四日、台湾では総統選の前哨戦の統一地方選が行われた。二十二の県市長選のうち十五で国民党が勝利し、それまでの六から大躍進。年金改革などの一連の蔡政権の施策が国民の不興を買い、民衆の支持を失ったのだ。蔡英文は党主席辞任に追い込まれ、政権は危機に陥った。

中国との一体化を目指す国民党がそのまま総統選と立法院選で勝利すれば、台湾の事実上の「中国化」が進む。日本は安全保障をはじめ国家戦略を根本的に練り直さなければならなかっただろう。その意味で今回の総統選・立法院選は、台湾だけでなく、今後の「東アジアの運命」を決するものだった。

統一地方選大敗の衝撃が冷めやらぬ二〇一九年一月二日、中国の習近平国家主席は、演説で台湾に対して香港と同じ「一国二制度」を受け入れるよう迫った。

台湾人の衝撃は大きかった。蔡英文は即座に会見を開き、一国二制度受け入れを拒否。これで人気低迷の蔡の支持は八ポイント上昇。それでも大手テレビ局ＴＶＢＳの翌月の世論調査で蔡英文二五％に対し、国民党の韓国瑜(かんこくゆ)は五四％という大差をつけていた。

蔡の不人気に危機感を抱いた行政院前院長（日本では首相に相当）の頼清徳・前台南市長が二〇一九年三月、民進党総統候補に名乗りを挙げた。人気の高い頼清徳の支持率が世論調査で蔡英文を遥かに上回っていたため、蔡執行部は候補決定の日付を二度にわたって延期。その間、頼に立候補取り下げの説得工作を行った。

蔡英文後援会の最高幹部はこんな秘話を明かす。

「蔡英文にとって最も苦しい時期でした。頼清徳が総統候補に名乗り出て結果的に蔡に決まるまでの八十八日間、彼女は〝睡眠薬が手放せない。この八十八日間が私の人生で最も苦しい日々だった〟と言っていました。思い詰めた表情で、私も可哀想で涙がこぼれました」

だが香港民主化デモの嵐がすべてを変えていく。香港で六月十六日の「二〇〇万人デモ」があった直後の世論調査で「蔡五〇％、韓三六％」と一挙に逆転を果たすのである。メディアへの露出を強め、香港民主派の支持を鮮明にした蔡英文が若者の支持をぐんぐん伸ばし、頼清徳との総統候補争いも一気に決着させたのだ。「蔡英文の最大の支援者は習近平」と言われる所以だ。

七月に国民党が総統候補を正式に韓国瑜・高雄市長に決定した時、すでに台湾では「今日の香港、明日の台湾」というキャッチフレーズが猛威を振るい、韓国瑜もなす術がなかった。地元メディアの記者によれば、

「韓氏は香港デモの感想をメディアに聞かれても、〝何？　知らない〟とそっけなく返すなど、この問題に向き合おうとしなかった。中国との関係の深さが売りだったのに逆にそれが足枷になり、人気が落ちていきました。原発を停めた蔡政権の批判で〝発電所で石炭や石油が燃やされ、中南部では（汚染で）肺ガン患者が異常に増えている〟と根拠のないことを言ったり、テレビ討論会では突然〝中華民国万歳！〟と叫び、蔡英文に〝あんたも言ってみろ〟と迫るなど有権者を唖然とさせる行為が目につきました」

一方でマスコミは人権弾圧に抵抗する香港の若者の姿を報じ続けた。韓は必ずしも自分は中国一辺倒でないと強調するため「安全保障は米国、経済は中国、技術は日本に頼る」と三方面外交を強調し始めたが、時すでに遅し。大勢は固まっていったのである。

目覚めた〝天然独〟

台湾には自由や民主主義を享受できることを当り前と思っている「天然独」と称される若者がいる。生まれた時から民主主義があり、人権が守られ、自由があったのだから当然だろう。

だが、台湾には国民党の蒋介石政権による台湾人虐殺の「二二八事件」（一九四七年）

という暗い歴史がある。事件以来、三十八年間も戒厳令が布かれ、正当な裁判を受けられないまま、軍事法廷で死刑となる人があとを絶たなかった。

戒厳令が解除されたのは一九八七年。それまでは政治の話などタブーで年長者には〝白色テロ〟の時代として記憶されている。

台湾が民主化したのは李登輝総統の〝静かなる革命〟の一九九〇年代のことだ。以降、若者は自由を満喫したが、香港の若者の戦いが、この〝天然独〟の意識を変えたのだ。

「このままでは俺たちも危ない」

そのことを悟った若者は、中国に対して距離を置く蔡英文の支持に猛然と向かったのである。投開票前夜の二〇二〇年一月十日、総統府前の大集会で蔡英文総統は五〇万人の支持者たちにこう訴えた。

「台湾ではいかなる人もデモ・集会の権利を警察に守ってもらえます。放水砲や催涙弾を撃たれることもなく、盾を持った警官が走ってきて警棒で殴られ、血まみれになる心配もありません。これが〝民主〟です。

若い皆さん、台湾は民主の道を長い間、歩んできました。でも、そこまでの道程は大変辛いものでした。民主は空から降ってきたものではなく、無数の戦いと多くの人々の命を賭けた奮闘により、この地に根づいたものです。そのお蔭で私たちは民主的な暮らしができています。皆さんがこの道を今後どう歩んでいくのか、世界の人々が、とりわけ香港の若い方たちが注目しています。

香港の若者は命と血と涙で、私たちに〝一国二制度〟は絶対に通ってはならない道だと示してくれました。若い台湾の皆さん、民主と自由の価値はいかなる困難も克服できることを明日、香港の人たちに示しましょう！」

群衆から地鳴りのような歓声が巻き起こった。

「光復香港　時代革命」

あの香港デモの旗が、大きく振られていた。感動と使命感が総統府前に集った支持者たちに満ち満ちていた。私は群衆の中で立ち尽くしていた。

日本はこのままでいいのか

どん底まで落ちた蔡英文の支持率はこうして復活した。だが、国民党の支持層には、年金改革で大幅収入減になった高年齢層がいる。統一地方選で爆発した怒りを侮ることはできなかった。

私は二〇二〇年一月十一日の投票当日、総統選で必ず行う出口調査をしてみた。台北市内の三区で投票を終えたばかりの有権者たちに話を伺ったのだ。

「香港に影響を受けた」

「中国の脅威は覆い難い」

そんな声が有権者の口から次々飛び出した。高齢層にもそういう声が多かった。大安区にある新生国民小学校前で聞いた、七十五歳の中学の元女性英語教師の話は興味深かった。

「軍人、公務員、教師は年金改革のターゲットになりました。国民党の支持層だからです。でも、退職金の預金に十八％の金利を与えるこれまでの制度自体がおかしかったのです。改革は当然です。

夫は軍人ですが、彼も全く同じ考えです。私は自由を求めて一票を行使しました。もちろん蔡英文です。私の元の同僚は皆、韓国瑜ですよ。中国のこれだけの脅威を前にしても、まだ韓国瑜に投票するのは、私には理解できません」

投票率は実に七四・九％に達した。蔡英文は八一七万票、韓国瑜五五二万票。立法院も民進党が六一議席で過半数を制し、国民党は三八議席にとどまった。台湾人は台湾の

「中国化」を阻止したのである。

中国が「力による現状変更」という剝き出しの覇権主義を下ろさないかぎり、東アジアに平和と安定は訪れない。

選挙四日後の二〇二〇年一月十五日、蔡総統は、国外の敵対勢力による選挙干渉やロビー活動、政治献金、虚偽情報の拡散などを禁止する「反浸透法」に署名した。違反者は懲役五年以下に処すという厳しい法律である。

日華断交後四十八年を経ても未だ「日台基本法」さえつくれない日本の国会。激動のアジア情勢の中で、日本が毅然とした姿勢を取り戻すことができるか否かは、私たち国民の「声」にかかっている。

（「ニュースポストセブン」二〇二〇年一月二十日）

第七章

日本人の矜持（きょうじ）を取り戻せ

少年Aが背負った「新たな十字架」

「ああ、やっぱりな、という気持ちです」

酒鬼薔薇事件の被害者遺族である土師守さんは、あきらめ切ったようすで、そう呟いた。

やっぱり——というのは、「少年A」が手記『絶歌』を出版したことに対してである。

一九九七年五月、行方不明になっていた小学五年生、土師淳君（11）＝当時＝の切断された頭部が中学校の正門前に置かれ、口には、〈さあゲームの始まりです　愚鈍な警察諸君　ボクを止めてみたまえ　ボクは殺しが愉快でたまらない〉という「酒鬼薔薇聖斗」を名乗る犯人の〝犯行声明文〟が咥えさせられていた。

事件に日本中が騒然となった。土師守さんは、殺害された淳君のお父さんだ。

太田出版から二〇一五年六月十日に発売された『絶歌』。少年Aが自ら綴ったこの手記に賛否両論が巻き起こる中、初版十万部に続いて、五万部の増刷が決定された（六月十八日時点）。

事件当時、『週刊新潮』のデスクだった私は事件の取材をすると共に、特集の取材班を指揮してさまざまな記事を書いた。

事件翌年（一九九八年）には、土師さんと共に『週刊新潮』誌上で手記を、そして土師さんの手になる単行本『淳』の編集もおこなった。あの時、歩きまわったタンク山や向畑（むこうはた）ノ池など、現場の風景は脳裡（のうり）から離れない。その事件の主役、三十二歳となったAが、自らの半生を綴った書籍を突然、発表したのである。

ネットで出版の情報を知った私は、十日早朝、土師さんの携帯にメールを送った。

「そうですか。驚きました。事前には何の連絡もありませんでした」

すぐに土師さんから返信があった。まだ出版の事実を当事者である土師さんは知らなかったのである。遺族に黙って手記を出す――私は遺族が新たに受ける心の傷を思って、暗澹（あんたん）たる思いに捉われた。

淳君の命日が近づくと毎年、一種の儀式のように、土師さんのもとには、Aからお詫びの手紙が送られてくる。年を追うごとに、中身は深まり、長文だった今年の手紙に対して、土師さんは、

〈私たちが事件の真の原因を知りたいと望んでいたことに対して彼なりの考えをつづっていたと思います。それで全てがわかったということではありませんが、これ以上は難しいのではないかとも考えています〉

とまで感想を綴り、マスコミに公表していた。

Aからの手紙について、私自身、何度も土師さんから複雑な思いを聞いている。彼の言葉を信じたい思いがある反面、どうしても「信じることができない」ということを。

土師さんは、あらためてこう語った。

「本人から手紙を受け取りながら、頭の片隅で、疑念を持っていたのは確かです。それは、いくら手紙に反省の言葉を書いても、やっぱり更生なんか何もできてないやろう、治ってへんやろう、という思いです。だから、本が出たと聞いて、びっくりしたと同時に、やっぱりな、というのがあるんですよ。

本を出す、ということは、更生なんかしていない、反省の気持ちはない、ということです。そういう意味では、逆の意味で、区切りがつきました。今まで、ずっと手紙に書いてあったことも嘘だったということです。妻もショックと言えば、ショックですが、（手紙の内容を）全く信じていたわけじゃないので……」

アメリカには、およそ四十の州に「サムの息子法」と称される法律がある。犯罪者が、自分がおこなった犯罪のことを材料に本を出版するなどして、利益を得ることを禁止する法律だ。土師さんは、その法律が日本でも制定されることを強く願っている。

『絶歌』には、〈被害者のご家族の皆様へ〉と題して、最後にこんなくだりがある。

〈二人の人間の命を奪っておきながら、「生きたい」などと口にすること自体、言語道断だと思います。頭ではそれを理解していても、自分には生きる資格がないと自覚すればするほど、自分が死に値する人間であると実感すればするほど、どうしようもなく、もうどうしようもなく、自分でも嫌になるくらい、「生きたい」「生きさせてほしい」と願ってしまうのです。（略）僕は今頃になって、「生きる」ことを愛してしまいました〉

これがAの本音なのだろう。だが、彼は根本的なことを忘れている。犠牲者と被害者遺族には、「時効」も、そして「救い」もないということを。

最愛の家族を凶悪犯罪によって喪った人たちには、どれほど時間が経とうが救いが訪れることはない。そのことを無視して、自分だけが救いを求めることが許されるのだろうか。

この本で、逆にAは、さらに重い課題と十字架を背負ったことは間違いない。

（二〇一五年八月号）

虐待死「結愛(ゆあ)ちゃん」を殺したのは誰か

二百人を超える犠牲者を出した西日本集中豪雨や、麻原彰晃を含むオウム真理教幹部七人の死刑執行などのニュースで隅に追いやられた「結愛(ゆあ)ちゃん虐待死事件」だが、二〇一八年七月十三日、重大な記者会見があった。

「日本子ども虐待医学会」が香川県で結愛ちゃんを診察した医師から聞き取り調査をおこない、その内容を明らかにしたのだ。それは、結愛ちゃん虐待死事件の本質を見事に表すものだったと言えるだろう。

「きょうよりか　あしたはもっともっと　できるようにするから　もうおねがい　ゆるして　ゆるしてください」――東京・目黒区在住の結愛ちゃん（5）が三月に死亡した事件は、六月になって父・船戸雄大（33）と母・優里（25）が保護責任者遺棄致死容疑で逮捕され、さらに涙なくしては読めないこの結愛ちゃんの文章が明らかになって、世間の耳目が集まった。

香川県善通寺市で虐待が発覚したのは二〇一六年十二月。外でうずくまっていた結愛ちゃんを近所の人が発見し、児童相談所（以下、児相）が一時保護。翌年（二〇一七年）二月と五月に雄大は傷害容疑で二度、書類送検される。七月に一時保護が解除されると、翌八月には医師が結愛ちゃんの身体に痣を発見して児相に虐待通告した。

船戸家は二〇一八年一月に東京に引っ越し、情報は香川の児相から品川児相に通知され、品川児相による家庭訪問は二月九日におこなわれた。だが、優里は結愛ちゃんへの面会を拒絶する。ここで、普通なら虐待状況は〝確定〟だが、品川児相は警察に連絡もせず放置。結果、平均体重のほぼ半分の十二・二キロにまで衰弱していた結愛ちゃんは三月、亡くなるのである。

行政機関に「怠慢」という名の犯罪を問うことができるなら、児相には、これまでどれほどの適用があっただろうか。それが結愛ちゃん事件の本質である。七月十三日の「日本子ども虐待医学会」の記者会見は、まさにそのことを告発するものだった。

「（香川で）結愛ちゃんが一時保護された際、診察をした主治医は虐待以外では考えにくい〝命に関わる傷〟を確認しています。主治医は、香川県の児相のほか、転居後には品川児相にも連絡していました」

香川の主治医が、品川児相にまで連絡していた事実が初めて明らかにされたのだ。しかも時期は結愛ちゃんが亡くなる一週間前。まさに異例の行動である。

「転居先の児相にまで医師が連絡するのは普通ではありません。それだけ命の危険性を認識していた。医師の発言は児相に的確に受け止められたのでしょうか」

それは、結愛ちゃんの命が失われたことに対する医療サイドの怒りの会見にほかならなかった。しかし、これからも結愛ちゃんのような犠牲者は生まれ続けるだろう。なぜなら、政治家や自治体の首長が、児相の言い分しか聞いていないからである。

虐待情報の「警察との全件共有」が実施されているのは、いまだに全国で高知県と茨城県と愛知県だけだ（注＝二〇一八年八月一日から埼玉県も）。それは、いくら事件が起こっても、児相サイドの「危険性の高い案件については警察とも情報共有していきます」という報告が自治体トップになされるからだ。大方の首長は、それで「そうか」と納得してしまうのである。だが、児相の職員が一度訪問しただけで、なぜ「危険性」が判断できるのだろうか。そこに疑問を感じないのが不思議だ。

そもそも児相と警察とでは「遺伝子」が異なる。警察は「命」を守る組織であり、児相とは「親子や家庭」を守る、つまり、親子関係などを「修復する」組織だ。児相への虐待相談件数が十年で三倍、約十二万件に急増する中、人員が不足し、「命を守る」という遺伝子が希薄な児相に、なぜいつまでも虐待案件を「抱え込ませる」のだろうか。

品川児相が品川、目黒、大田の三区を管轄するように、そのエリアは広大で、全国どの地域でも、全くと言っていいほど「目は届いていない」のが現状だ。それでも児相は「増員」を要求するだけで、警察との全件情報共有に否定的だ。

しかし、住民にとって最も身近な存在である交番のお巡りさんが、毎日のように、

「結愛ちゃん元気ですか」

「結愛ちゃんの顔を見せてください」

と訪問してくれるようになったら、虐待死は、どのくらい防ぐことができるだろうか。少なくとも、児相が抱え込んでいる現状よりも、救われる命が一つでも二つでも増えるのは間違いない。

児相の言い分にばかり耳を傾ける自治体の首長を含む政治家たちの危機意識の欠如が、今も〝明日の結愛ちゃん〟を生み続けている。行政の目が届かない中で、ただ虐待死を待つ子供たちが哀れでならない。

（二〇一八年九月号）

白鵬の増長を許すなら公益財団法人返上を

日本相撲協会は、公益財団法人を返上せよ――事件発覚以来、私はそう言い続けている。

「私企業」として出直すか、あるいは、厳しい指導力を持つ民間の経営者を新たに「理事長」として迎えて再出発するか。いずれかを選択すべきだと思う。これほどの「白鵬の増長」を許している相撲協会に「公益財団法人」の信用と優遇措置を現在も与えていることは、国民の一人として、そぐわないと思うからだ。

公益財団法人は、公益にかなう「二十三の事業」をする法人だけが認定を受けることができる。相撲界が〝ごっつぁん体質〟であろうが、大目に見てもらえるのは、すべて公益目的、つまり、「国民のため」に存在しているからだ。

では、相撲協会が担わされているものは何か。それこそが、〈教育、スポーツ等を通じて国民の心身の健全な発達に寄与し、又は豊かな人間性を涵養することを目的とする事業〉（傍点筆者）である。

一連の騒動を振り返って欲しい。果たして相撲協会は、この事業を担う団体として相応しい行動をとっているだろうか。日馬富士が後輩の貴ノ岩を殴り続け、最後は何かの〝凶器〟を使って、頭部に九針もの裂傷を負わせた詳細は、あらためて述べるまでもあるまい。問題は、その現場にいた横綱白鵬だ。

貴ノ岩に説教していたのも白鵬なら、裂傷ができるまで日馬富士の暴力を止めなかったのも白鵬である。では、その白鵬は、どんな態度を国民の前で見せたか。千秋楽の優勝インタビューで、「場所後に真実を話し、膿を出し切って、日馬富士関と貴ノ岩関を、再びこの土俵に上げてあげたいと思います」と語り、万歳三唱までおこなった。

白鵬は、四日前の九州場所十一日目には、嘉風に敗れた際に「立ち合い不成立」をアピールし、一分以上も土俵に戻らず不服の態度を示し、ファンを呆れさせている。

これらの言動は、果たして〈国民の心身の健全な発達に寄与〉し、〈豊かな人間性を涵養する〉公益財団法人の現役最高位の横綱のものだろうか。

しかも、千秋楽から二日後の二〇一七年十一月二十八日、極めつきの出来事が起こった。八角理事長が再発防止に向けて力士たちに講話した際、白鵬が「貴乃花巡業部長のもとでは冬巡業に参加できない」と巡業ボイコットを広言したのである。

横綱が、巡業部長を名指しで批判したことで、あの千秋楽の優勝インタビューで、「場所後に膿を出し切って……」と言ってのけた〝膿〟とは、貴乃花巡業部長だったことが判明した。

この時、八角理事長は「おまえは何を言うか。自分の言っている意味がわかっているのか！」と一喝もせず、逆に「力士会などを通して要望するように」と諭したという。これほどの傍若無人のふるまいが許されるのが公益財団法人・日本相撲協会なのである。

一般人への暴力事件で引退した朝青龍、そして、今回の暴力事件で自ら角界から身を引いた日馬富士、さらに傍若無人の言動を続ける白鵬。くり返される不祥事に、相撲協会の体質が見えてくる。

「なぜこういうことになったか不思議で仕方ありません」

日馬富士の引退会見の折に角界の大幹部・伊勢ケ浜親方が発したこの言葉と態度がすべてを物語っている。自分の指導の至らなさを反省するでもなく、涙を流し、そのうえ、マスコミの気に入らない質問をいちいち封じ込め、こんな事態に至らせた貴乃花親方を暗に批判したのである。

十年前の時津風部屋の新弟子リンチ死事件の教訓が生かされているのか、私は疑問に思っている。二〇〇七年六月、時津風部屋では、親方も一緒になって新弟子の少年にリンチを加えて死亡させた。

ビール瓶や金属バットを使った〝かわいがり〟は無残なもので、傷だらけの息子の遺体に不審を抱いた家族が故郷新潟の大学病院に遺体を運び込み、解剖依頼をしたことから刑事事件へと発展していった。

「稽古の後に急に亡くなった」という部屋側の説明を鵜呑（うの）みにしなかった遺族の果敢（かかん）な行動が、あの事件を炙（あぶ）り出したのである。

事件の反省に立ったはずの協会の〝指導〟とやらが何の効果もなかったことは、記者会見での伊勢ケ浜親方の態度を見ても、明らかではないだろうか。私は今回、貴乃花親方が警察に被害届を出さなければ、事件が隠蔽（いんぺい）された可能性は極めて大きいと考えている。

暴力、隠蔽体質、無反省……将来ある青少年が、日本相撲協会を見習うと、日本はとんでもないことになる。相撲協会よ、さっさと公益財団法人を自主返上し、私企業となって出直しなさい。

（二〇一八年一月号）

高校野球が危ない

高校野球が危機に瀕(ひん)している。いや、正確にいえば、高校野球の〝原点〟が破壊されようとしている。

元凶は高野連（公益財団法人・日本高等学校野球連盟）だ。この組織によって高校球児の夢は無惨にも踏みにじられる。春夏の甲子園を主催する朝日新聞、毎日新聞二社が副会長を送り込んでいる高野連の理不尽さは、これまでも折に触れて顔を覗(のぞ)かせてきた。

しかし、その強大な権力の前にスポーツジャーナリズムは沈黙し、批判は皆無だった。

しかし、韓国でおこなわれたU18のワールドカップで日本が五位と惨敗したことで、一般のファンにも、「なぜ」という声が湧き起こった。何か変だぞ、と。

実際にU18の戦いを見たファンは、選手たちの奮闘ぶりに頭が下がっただろう。懸命にボールに食らいついていく選手たちの必死さは感動と共感を呼び起こした。だが選手がいくら頑張っても、U18の歪(いびつ)なチーム構成が肝心な時にミスを呼び、五位に沈んだのだ。

U18に選ばれた内野手七人のうち六人が遊撃手で、しかもいずれも右投げ左打ち。外野手は二年生二人しか選ばれておらず、全国制覇の履正社からは、高校球界を代表する右のスラッガー井上、桃谷という外野手をはじめ一人も選ばれなかった

結局、U18は遊撃手が不慣れなポジションを守って重要な場面で致命的なミスが出て敗れた。しかも五位となり三位決定戦にも進めなかった監督が「まだ一試合残っていますので。残っているんですすよね？」とインタビューで答えてファンを唖然とさせた。

なぜこんな監督を選んだのか。さすがに高野連の独善体質にファンも気がついたのである。実際、人柄や実績で誰もが納得する選出ではなく、高野連の中の権力者に気に入られれば「U18の監督にはなれる」というのは、野球記者たちの常識だ。

では、冒頭で指摘した「高校野球の〝原点〟の破壊」とは何か。それが「球数制限」である。

高野連は、いま球数制限に乗り出そうとしている。これによって高校野球は多数の投手を抱えている私学強豪校が「絶対有利」になり、公立高校が活躍できる余地はなくなる。高校野球とは、野球の大好きな少年たちが野球部に集って甲子園を目指し、全国制覇を夢見るスポーツだ。昔も今もそれだけは変わらない。

例えば、ある地方に一人の剛速球投手が生まれたとしよう。そのエースを軸に、周囲の中学から「一緒に甲子園へ行こう」と選手が集まり、はるか彼方（かなた）の甲子園を目指し、懸命に日々鍛錬する。その結果、甲子園に出場する。エース吉田輝星（こうせい）を擁した二〇一八年の金足農業がそれだ。

しかし、公立高校には全国の舞台で通用するような投手はいたとしても「一人」だろう。吉田投手のように私学強豪校を向こうにまわしてもなぎ倒していくピッチャーだった場合、「夢」は持続する。だが、ここに球数制限が入ってきたらどうなるか。

私学強豪校にとっては、そのエースさえ降ろさせればいいわけである。当然、徹底的な待球（たいきゅう）作戦が指示されるだろう。ファウルで粘りに粘れば球数は増えていく。そしてそのエースの規定投球数を超えた段階で「勝負は決する」ことになる。

二〇一九年四月、福岡県高野連が県内の野球部員およそ千五百名と指導者たちに球数制限の是非についてアンケートをとった。すると実に「八七％が反対」という衝撃的な結果が出た。強豪校を倒すために猛練習に耐えている自分たちの〝勝つ要素〟が消えてしまうのだから当たり前だ。これを私は高校野球の「根本破壊」と呼ぶ。

球数制限が必要ないのは休養日を設けることの方が重要だからだ。三回戦から決勝までの「四試合」を高野連は長年、「四日間」でやらせてきた。炎天下の甲子園で、最後の最後に「四日間四試合」を課してきたのである。しかし、批判の高まりから六年前（二〇一三年）に準々決勝と準決勝の間に一日だけ休養日を設けた。「五日間四試合」だ。

二〇一九年からは準決勝と決勝の間にも休養日が設けられ、「六日間四試合」となった。あとは三回戦と準々決勝の間に一日休養日を設ければいい。「七日間四試合」である。休養日を挟みながら試合をしていけばいいだけのことだ。だが高野連は今、これに「七日間五百球」という球数制限をかけようとしている。

一試合で割れば百二十五球。これで好投手を擁して地方から全国制覇を目指す公立校の夢は潰(つい)えることになる。決勝まで休養日を挟んで連戦をさせないだけで球児たちの夢は守られるのに、高野連の独善体質は、高校野球の根本を「破壊」する方に向かうのである。

球児たちの無償の奉仕をもとに「純資産十七億円」を貯(た)め込んでいるこの公益財団法人の〝暴走〟を止められる人間は、どこにもいないのだろうか。

（二〇一九年十一月号）

世界「最古」の憲法

世界最古の憲法――そう聞いたら、どの国の憲法を想像するだろうか。立憲主義の伝統があるヨーロッパの国で、さてどの憲法が最も古いのか、と思案をめぐらす人が多いのではないだろうか。

実は、「一言一句変わっていない」、つまり成立の時のままの姿で現在に至っているという点で、「世界最古」の憲法は、「日本国憲法」である。そう言われると、きっと驚きの声を上げる人もいるに違いない。

そう、日本国憲法は成立以来、一言一句も変わっておらず、その意味での「世界最古」の憲法である。つまり、日本は世界最古の「皇室」と、世界最古の「憲法」を持っている稀有なる国ということになる。このほど、その名もずばり、『世界最古の「日本国憲法」』(潮書房光人社)という本が出版された。著者は広島テレビ社長で、読売新聞元政治部長の三山秀昭氏である。

今年（二〇一六年）の憲法記念日は、都内で例年にも増して、力の入った「護憲派」「改憲派」双方の集会が開かれていた。改憲が争点ともなる参議院選挙を間近に控えていることにも起因するだろう。

私は、現行憲法には、いい点も、そして悪い点もあるが、その時々に時代の要請を巧みな「解釈」の変更によって乗り切ったことを評価もしている。その点では、護憲派とも言えるし、見方によっては、改憲必要派に組み入れられるかもしれない。そんな私にとって、この本は、実に興味深い内容だったので取り上げてみたいと思う。

著者である三山氏は、日本での憲法をめぐる議論は、〈不毛なイデオロギー論争〉であり、〈自らに都合のよい事実だけを巧みに繋ぎ合わせての空疎な「論」の応酬〉であるという。そのため、徹底して「ファクト」だけを提示する構成となっている。

現在おこなわれている憲法違反のファクトとして、真っ先に本書で挙げられているのは、「私学助成金」について、である。憲法八十九条には、〈公金その他の公の財産は、宗教上の組織若しくは団体の使用、便益若しくは維持のため、又は公の支配に属しない慈善、教育若しくは博愛の事業に対し、これを支出し、又はその利用に供してはならない〉と記述されている。つまり、公金から全国の私立大学に私学助成金を与えているのは、明白な憲法違反ということになる。

しかし、政府は、これを「私学振興助成法が成立し、直接ではなく、私立大学協会などを通じて補助しているので問題はない」という強引な論法で、堂々と「公金から」私学助成をおこなっている。

この論理に従えば、宗教法人振興助成法なるものができて、宗教法人連合会でもつくれば、宗教法人にも〈税金を支出してよい〉ことになってしまうと、著者は嘆いている。

そして、この事例でもわかるように〈内閣法制局を「憲法の番人」と誤解しているムキも散見されるが、これは完全な間違い〉と指摘している。

ほかにも解釈改憲の事例がいくつも紹介されているが、なんといっても戦後、最も大きなものは、村山富市首相による自衛隊合憲論への転換だろう。

当時の石原信雄・官房副長官に対して村山氏が、「自衛隊は認める。日米安保は『維持』ではなく、『堅持』じゃ」と語る場面を描写した上で、〈長く「自衛隊は憲法違反」「日米安保は破棄すべき」と唱えてきた社会党が、コペルニクス的発想の転換でルビコン川を渡った瞬間である。（略）ついに明確な解釈改憲を決断し、基本政策を大転換した〉と記述する。

ここで紹介されている村山発言が面白い。「情勢に柔軟に対応できる政策を持つことは当たり前ですよ。政権を取った以上、現実的にならにゃいかんと思った」。なんとも示唆に富むコメントである。

「世界最古の日本国憲法」は、こうして解釈改憲が繰り返されて「現実社会」に対応し、現在に至っている。それが日本国憲法の「姿」と言えるだろう。憲法をめぐる「ファクト」がこれでもか、と紹介されている本書は、「護憲派」「改憲派」のどちらにも〝洗脳〟されない基礎的知識を得るためには、最良のテキストかもしれない。

日本国憲法はＧＨＱに押しつけられたものだ、というのは、よく聞く改憲派の主張だ。しかし、本当にアメリカに押しつけられたものならば、少なくとも「あなたがつくった規定によって、日本はそれができないのです」と何に対しても主張できる根拠を持っていることになる。つまり、日本国憲法とは、マイナス点がプラスになったり、利点が実はマイナスだったり、さまざまな姿を持っているのである。護憲、改憲、加憲、創憲……各党が主張する憲法論に対して、大胆な思考と発想を養うためにも、一読をお勧めしたい。

（二〇一六年七月号）

北海道地震「ブラックアウト」をどう見るか

「真冬でなくてよかった……」

電力の専門家たちは、顔を見合わせてそう囁きあっている。二〇一八年九月六日深夜三時過ぎに起こった震度七の北海道胆振東部地震で生じた全域停電についてである。

道内の電力の約半分にあたる百六十五万キロワットをつくりだす北海道電力の苫東厚真火力発電所が地震の直撃を受けて停止。これによって道内に張りめぐらされた電力網全体の需給バランスが崩れ、「ブラックアウト（停電）」という恐ろしい事態に陥ってしまったのだ。「泊原発が稼働していなかったからこうなった」という論と、逆に「もし、泊原発が稼働していたら、もっと悲惨なことになっていた」という真っ向から対立する議論まで巻き起こっている。

冒頭の「真冬でなくてよかった」というのは、「もし真冬だったら、凍死者がどのくらい出ていたのか想像もつかない」という意味である。

電力の安定供給が維持されている日本では、停電は滅多なことでは起こらない。だが今回は、震度七という激震によって北海道で想定外の出来事が起こったのだ。

電力技術者はこう解説する。

「電気はためることができません。そのために常に需要と供給のバランスをとっているのです。今回、地震で全道のほぼ半分の発電量を持つ苫東厚真火力発電所が緊急停止しました。しかし、夜中とはいえ、札幌などの大都市では電気の需要が続いていた。それによって使用量が発電の供給力を上回って需給のバランスが崩れ、周波数が一気に低下してしまったのです」

発電機は周波数が乱れて負荷がかかると損傷する。これを防止するために、ほかの発電所が次々と自動停止し、ブラックアウトに陥ったのだ。

「一時は、バランスを回復させようと一部地域を強制的に停電させて需要を落とし、さらには本州からの送電の支援で持ち直しましたが、結局、周波数の急落を防ぎきれず、事態を回避できなかったのです」

泊発電所が稼働していれば、果たしてこんな事態にはならなかったのだろうか。

「結果論から言えば、今回の地震で、実際に日本海側に面する泊原発で検知された揺れは十ガル以下でしたから、泊原発が動いていたら、電気は無事、供給されていたでしょう。つまり、電気の流れは問題なかったと思います。そもそも泊原発が動いていないために、苫東厚真火力発電所に頼りすぎていたわけです。泊原発が仮に稼働していたら、二重の意味でブラックアウトになることはなかったと思います」

泊原発は、現在、国内で安全審査を通過して稼働している九基と同様、すべてＰＷＲ（加圧水型軽水炉）である。しかし、二〇一七年三月、原子力規制委員会は泊原発に関して、積丹半島の西側海底に「活断層の存在を否定できない」という見解を打ち出した。

活断層が存在するという科学的根拠はなく、「存在を否定できない」という曖昧な見解によって稼働のメドが立たず、北電は頭を抱えた。一つの火力発電所が全道の半分の電力を賄うという〝歪な〟態勢での運用は、結局、今回の前代未聞のブラックアウトを生んだのである。

電力には、さまざまな意味でリスクを分散することが必要だ。発電方法や、発電所の位置も、あらゆる災害や不測の事態に備えて考察しなければならない。再生可能エネルギーの限界がドイツで明らかになる中、自然災害が多発する日本がどう電力を賄っていくかは、冷静に考えていかなければならないはずである。

ある東電の関係者はこんなことを明かす。

「湾岸にある火力発電に供給を依存している首都圏を大地震が襲った時、仮に原発が動いていなかったら電力不足が生じ、大パニックが起こると思います。今年はもの凄く暑かったですよね。幸い停電は起きなかったですが、実は工場など大口のお客様の電気を何日か切ったことがあります。これは〝デマンドレスポンス〟という特別の契約に基づくものですが、大停電を防ぐためにこれを発動して、切らせてもらったんです。

一般メディアが報道していないのであまり知られていませんが、実は今年の冬にも電気が足りなくなって、これを発動させてもらいました。今夏、病院で熱中症で亡くなった患者のことがニュースになりましたが、他人事ではないのです。首都圏を大地震が襲った場合、柏崎刈羽原発が動いていなかったら、電力の供給の面で本当に危ない。今回のブラックアウトがなぜ起きたのか、忘れてはならないと思います」

大災害に備えて、なにより必要なのは「リスク分散」である。イデオロギーや感情論を超えて、北海道地震を教訓に、あらゆる意味での冷静な議論を待ちたい。

（二〇一八年十一月号）

天皇・皇室に牙をむく朝日新聞

　このところ若い世代と話をする機会が多い。御代替わりについて、私自身が若い人に話を聞いてみたかったからでもある。

「日本の天皇が変わることが、こんなに世界のニュースになったことに驚いた」

「日本が〝世界最古の国〟だと初めて知った」

「令和をビューティフル・ハーモニーの時代だと言ってくれるのが嬉しい」

……そこには、若者らしいさまざまな感想があった。彼らの意見が、私にはいちいち新鮮だった。海外の反応を、素直に、偏見なく、ストレートに受け止めていたからだ。

私自身も、海外の大報道が感慨深かった。

　二十世紀は戦争の時代であり、第二次大戦では実に約六千万人が戦争の犠牲になった。日本も、一般の国民も含めて三百十万人もの犠牲者を出した。その深い傷痕と贖罪の意識は、日本人はどこの国の人間にも劣らず、抱き続けた。そして戦後七十余年にわたる日本の平和への貢献は、言葉には出さずとも国際的に認められてきた。それこそが、平成から令和への御代替わりに示された「国際的な評価」につながったのだろう。

しかし、そうは考えない者もいる。それも日本国内に、である。代表的なのは朝日だ。平成から令和にかけて、この新聞の論調にはあらためて驚かされた。

初めて和書を典拠にした新元号「令和」に、〈時の首相の思いが強調される形になるのは避けた方がいい。元号は時の政権のものじゃなくて国民のものなんだから〉（二〇一九年四月二日付）との元政府関係者なる匿名のコメントで批判し、天皇制そのものにも、〈世襲に由来する権威を何となくありがたがり、ときに、よりどころにする。そんな姿勢を少しずつ変えていく時期が、来ているのではないか〉（四月二十五日付「天声人語」）と、痛烈に疑問を投げかけた。

五月六日付紙面も凄まじかった。〈加害の歴史　向き合うのは誰　不問にした「元首」の責任〉と題してこう主張した。〈安倍晋三首相は13年以降の戦没者追悼式で、1993年から歴代の首相が触れてきたアジア諸国への加害責任や「深い反省」に言及していない。（略）「祈る天皇」の退位とともに列島各地に「ありがとう平成」という感謝の言葉が広がった。政治が本来やるべき贖罪を天皇に委ね、安心して過去を忘れたかのようで、

国民主権をどう機能させるかという緊張感はうかがえない〉

戦争についての罪悪感を日本人の心に植えつけるためにGHQが行使したウォー・ギルト・インフォメーション・プログラム（WGIP）をいまだに忠実に実行し、「日本だけが悪かった」と紙面で訴え続ける朝日。戦争は双方に非があり、どちらが正しく、どちらが悪いというものではない。しかし、朝日は「日本だけが悪かった」という、中国と韓国が泣いて喜ぶ主張を令和となった今も続けているのである。

世界最古となった日本の天皇制は、二千年の長きにわたって伝統と秩序を重んじる日本人がこれを「守り通してきた」結果である。その唯一といっていいルールは「男系」だ。朝日はこの根本にも異を唱える。

二〇一九年四月二十九日付の紙面では〈持続可能な皇室　女性・女系天皇　政治が答えを〉という記事が掲載され、五月三日付には、〈家父長制の影　縛られる女性　男系男子が継承　疑問の声も〉と題して、「皇室の女性は、男の子を産まなければならないという重圧に苦しんでいる。男系男子が皇位継承をするという天皇制の中で、家父長制的な家族が続いている」という大学名誉教授の批判コメントを紹介し、〈皇室のあり方に疑問〉と記した。

朝日は、天皇制そのものに疑問を呈し、さらには、長く続いてきた「皇統」の唯一のルールをも、突き崩そうとしていることがわかる。

そういえば、同六日付の広告欄には同社が発行する週刊朝日の〈〝愛子天皇〟が急浮上　秋篠宮「即位拒否」〉という大見出しが踊っていた。手を換(か)え、品を換えて朝日は、女系天皇へと導こうとするのである。

男系というルールによって「権威」と「権力」を分離させ、たとえ時の権力者が天皇家の女性と婚姻関係を結んでも「その子が皇位には就けない」という見事なシステムを構築した日本人。しかし、朝日のようにあらゆる手を使って、日本を日本たらしめているものを排除したい勢力は存在する。

二千年に及ぶ決まりさえ途絶させ、悠仁(ひさひと)親王の事実上の廃嫡(はいちゃく)論が公然と主張される今、心ある日本人は彼らの意図を冷静に見極める必要がある。女性宮家の創設から女系天皇への道を探ろうとする野党や、それをあと押しする朝日の目的を考える時、私は慄(りつ)然(ぜん)とするのである。

（二〇一九年七月号）

「悠仁親王廃嫡論」を憂う

なぜ「愛子天皇」ではいけないのですか——令和になって、そんな声をよく聞く。「愛子天皇待望論」であり、その先にある「女系天皇容認論」だ。

それに呼応して、男系男子に限られた皇室典範を改正してまで「愛子天皇を誕生させよう」という動きが活発化している。共産党、立憲民主党、そして朝日や毎日といったメディアが推し進め、そのことが一定の反響を生み始めているのだ。

私は、彼らの目的と背景を考えると恐ろしくなる。彼らが目指しているのは、現在、皇嗣である秋篠宮文仁（ふみひと）親王、そして皇位継承第二位の悠仁親王の「廃嫡」である。なぜ彼らはこれを目指すのか。そのことを記しておきたい。

男系とは、二千年の皇統の唯一最大のルールだ。長子継承を基本とする英国王室との違いはここにある。これをいとも簡単に捨て去ることはなにを意味するのだろうか。

二〇一九年六月四日付の「しんぶん赤旗」で、日本共産党は志位和夫委員長自ら「女系天皇」容認を打ち出した。いうまでもないが、同党は長きにわたって天皇制打倒を掲げてきた。だが、民主連合政府樹立を目指す共産党も、さすがに天皇制打倒では国民の支持は得られないと、「二〇〇四年綱領」からは「(皇室の)存廃は、将来、情勢が熟したときに、国民の総意によって解決されるべきもの」と表現を和らげた。

しかし、衣の下からは天皇制打倒の鎧が見え続けている。そして参院選で野党統一候補の擁立を目指していた立憲民主党も直後に女系天皇容認を打ち出した。

共産党の理論的支柱で、皇室と民主主義は両立しないと主張し続けた憲法学者・故奥平康弘氏の言葉を紹介して彼らの目的を記したのは六月八日付の産経抄だ。

「天皇制のそもそもの正当性根拠であるところの『萬世一系』イデオロギーを内において浸蝕する」

これは、平成十六年八月号の月刊『世界』に奥平氏の言葉として掲載されたものだ。萬世一系の皇統さえ途絶させられれば、天皇制そのものの正当性の「根拠」は消え、内側から皇室は「浸蝕」され、解体されていくという意味である。実際、過去「八人・十代」いる女性天皇も、いずれも父親が天皇か皇太子であった男系の天皇だ。日本の歴史上、父親が天皇や皇太子ではない「女系天皇」はひとりも存在しない。

これによって、たとえ時の権力者や独裁者が天皇家の女性と婚姻関係を結んでも、その間に生まれた子供は天皇にはなれない。これが「権威」と「権力」の分離である。権勢を振るった平清盛であろうと、織田信長であろうと、徳川家康であろうと、それはできなかった。男系によって維持されてきた皇統は、先人の智慧(ちえ)なのである。日本が〝世界最古の国〟となった所以もそこにある。

まず愛子天皇を誕生させ、その後、その子供に天皇を継がせ、女系天皇を誕生させるのが、共産党や立憲民主党、あるいは朝日や毎日といったメディアの目的だ。奥平氏が指摘していたように「萬世一系」が途絶えれば、やがて皇室は崩壊するだろう。天皇制打倒を長く心に秘めてきた勢力の深謀遠慮である。

朝日や毎日は、女性・女系天皇への道を切り開こうと懸命だ。朝日は二〇一九年四月二十三日付朝刊で〈女性・女系、立ち消えた議論〉と題して、小泉政権下の有識者会議が報告書で提言した女性・女系天皇容認を当時の有識者会議メンバー、園部逸夫(そのべいつお)・元最高裁判事の「あの時、議論を止めるべきではなかった」との言葉で紹介し、女系天皇誕生を願う記事を掲載した。

また毎日は二〇一九年五月十六日付夕刊で、「前近代までは確固とした皇位継承原則がなかった」という確定した学説でもない研究者のコメントを引用した上で、〈「男系継承が古来例外なく維持されてきたことの重み……」〉。三月の参院予算委での安倍晋三首相の答弁の一部である。ぜひ、正確な歴史認識の共有の下、議論を進めたいものだ〉と主張し、女系天皇実現への願いを込めた。

　男系維持のための先人の苦労は涙ぐましい。第二十五代武烈天皇が後嗣を残さずに崩御した際、越の国（現在の福井県）から応神天皇の実に五世孫を招聘し、継体天皇として即位させた。

　また江戸時代には皇統断絶を憂えた新井白石の進言で閑院宮家が創設され、実際に白石の死の七十年後、後桃園天皇が後嗣を残さず崩御し、その閑院宮家から光格天皇が誕生して今の天皇家へと引き継がれている。

　多くの国民は、女性天皇と女系天皇の違いもわかっていない。それにつけこんだ世論工作が猛然とおこなわれていることに私は深い憂慮を感じる。「安定的な皇位継承」「男女平等」という名の下に、正当な皇位継承者を廃嫡にしてまで長きにわたった先人の智慧を葬り去ることは許されない。

（二〇一九年八月号）

それでも「女系天皇」実現を策す勢力

「女系天皇実現」へ走る勢力とマスコミの動きが激しくなってきた。具体的には、政界では立憲民主、共産、社民、マスコミでは朝日新聞、毎日新聞、共同通信、NHK、TBS、テレビ朝日などだ。

女系推進メディアは、世論調査という〝武器〟を使って盛んに実現に国民を導こうとしている。だが世論調査には「誘導」という露骨な目的があるので、その質問にも〝本音〟を隠した巧妙な操作がある。

例えば、二〇一九年十一月九日、十日にTBSが行った世論調査を見てみよう。TBSが隠す思惑を説明する前に、先に女系天皇とは何かを説明しておこう。

女系天皇とは、母方にのみ天皇の血筋をもつ天皇のことだ。つまり今の皇族でいえば、愛子内親王が結婚され、生まれた子供が天皇になれば、その方は女系天皇となる。今上天皇のお嬢様である愛子内親王が天皇になれば「女性天皇」、その子供は「女系天皇」だ。

天皇は代々「男系」で継承されており、過去に「女性天皇」は八人・十代いるが、すべて父親が天皇、もしくは皇太子等の男系であり、皇統でない父親を持つ「女系天皇」は歴史上一人も存在しない。日本の皇統唯一のルールが「男系」であり、天皇の父親を辿(たど)っていけば、神武天皇（注＝記録が残っているのは崇神天皇）まで遡(さかのぼ)ることができる。

それが「万世一系」だ。

つまり、今、女系天皇実現を策す勢力は「歴史上、存在しなかった」女系天皇を誕生させ、二千年を超える皇統への〝挑戦〟を敢行しているわけである。当然、女系天皇にするということは、男系の正統な継承者である悠仁親王は、事実上、「廃嫡」となる。そのことを頭に入れて、ＴＢＳの世論調査を考えてみよう。

質問：今の法律では、皇位を継承できるのは男性の皇族のみですが、あなたは、女性の皇族が天皇になることに賛成ですか？　反対ですか？

回答：賛成　七七％

反対　一四％

答えない・わからない　九％

質問：では、女性天皇の子供が天皇になること、すなわち「女系天皇」に賛成ですか？
反対ですか？

回答：賛成　七四％
反対　一五％
答えない・わからない　一一％

賛成が多数であることがわかる。愛子天皇を実現し、その子供を天皇に、という声が国民の中に圧倒的であることがアピールされている。だが、質問に以下のものが入ったら、結果はどうなるだろうか。

質問：女系天皇になるということは、事実上の「悠仁親王廃嫡」となり、二千年以上、男系で繋(つな)いできた皇統が途絶し、万世一系が終了します。あなたは、そのことに賛成ですか？

私は講演や記事、あるいは取材を通じて多くの方に意見を伺っているが、女系天皇を支持する人は、これが悠仁親王廃嫡を意味することを知らず、これによって万世一系の皇統が途絶されることも知らない。

もし皇室が男系を捨て、英国王室と同様、長子継承を基本とし、女系天皇を容認するなら愛子天皇の次はそのお子様、もし子供がいなかった場合は、眞子内親王、そして佳子内親王……と続くことになる。これが事実上の悠仁親王廃嫡論だ。天皇家は、内親王が英国人と国際結婚されるなら英国系、韓国人と結婚されるなら韓国系と「移り変わっていく」ことになる。

十月から十一月にかけて世界最古の国・日本で注目される行事が続いた。なかでも即位礼正殿の儀や大嘗祭など、世界をリードする「先端技術国・日本」とは対を成す〝平安絵巻〟さながらの伝統の儀式に国際社会から驚きの声が上がったことに私は感慨を覚えた。

国家とは興亡をくり返す宿命にあり、二千年の長きにわたってひとつの国、ひとつの王朝が存続することは、世界の常識ではあり得ない。しかし、日本人は天皇家を尊重し、二千年以上にわたって守り通してきた。

その時々の権力者・独裁者がその気になれば、いつでも皇位の簒奪は可能だったのに、男系という皇統唯一のルールによって「万世一系」が守られてきたのだ。藤原家、あるいは平家や源氏であろうと、また足利や織田、豊臣、徳川であろうと、天皇家を乗っとることができなかったのは、ひとえにそのルールによる。

これを葬ろうとする勢力が、もともと天皇制反対であったり、批判的だったものであることを国民はどのくらい知っているだろうか。「安定継承」を口実に悠仁親王廃嫡を策し、皇統を途絶させようとする人たち——伝統と秩序を重んじる私たち日本人が決して騙されることがあってはならないのである。

（二〇二〇年一月号）

終章　子や孫の命をどう守るか

中国の傲慢政策は破綻

二〇二一年、三月二十二日――。

私たちは、まさに「歴史の岐路」に立っていることを感じる出来事に遭遇した。

ＥＵ（欧州連合）が、外相理事会で中国のウイグル人への人権侵害に対して、制裁を発動することを決定したのである。新疆ウイグル自治区の幹部ら中国当局者四人に対してＥＵ内の資産凍結や域内への渡航を禁止したのだ。

あまたのウイグル人が不当に拘束され、労働や不妊手術を強制されていることに対して、ＥＵが真っ向から「人権侵害を許さない」と宣言したのである。ＥＵの制裁は、一九八九年の天安門事件以来、実に三十年ぶりのことだ。

ついに来たか。私はそう思った。

アメリカを先頭に英国、カナダ、豪州、ニュージーランドなど、次々と中国との対決姿勢を強める国が増えていた。だが、ＥＵの制裁は、それとは異なる特別の意味を持つ。ＥＵ加盟国は全二十七か国である。米英らにつづき、これらヨーロッパの二十七か国が動くことは、〝日本を除く〟全自由主義圏が動いたことを意味するからだ。

二〇二〇年十二月三十日、中国との間で「包括投資協定（CAI）」を結んだEUは、当初「中国には強く出られないだろう」と見られていた。加盟国には、経済を中心に中国と抜き差しならないほど〝密接な関係〟を築いている国もある。

それだけに二〇二〇年七月一日、香港で自由と人権を奪う「国家安全維持法」を施行するという中国の蛮行に対しても、EU首脳らの中国批判は、口先だけにとどまっていた。だが、そのEUが、ついに立ち上がったのだ。

新型コロナ隠蔽による中国の初期対応の失敗は、二〇二一年三月末段階で実に世界で二百八十万人もの死者を出した。しかし、中国はそのことに謝罪もせず、逆に開き直り、香港やウイグルで、さらなる人権弾圧に乗り出してきたのである。

南シナ海や東シナ海での中国の〝力による現状変更〟も相俟(あいま)って、自由世界の我慢はとうに限界を超えていたといえる。

EUの外交に関する意思決定は、これまで加盟二十七か国の「全会一致」が必要だった。中国と極めて密接な国がひとつでも反対すれば、制裁などとても無理だったのだ。中国もそれを理由にEUが自分に離反するなど考えも及ばなかったのである。世界が仰天したのは、そこに理由がある。

秘密は、二〇二〇年十二月に導入された「グローバル人権制裁制度」にある。ＥＵは人権問題という人間の「命」や「権利」といった最重要課題に対しては、全会一致という時間のかかる方式ではなく、外相理事会などの外交専門家のスピーディな議論を重視し、そこでの決定を追認する方式を導入したのである。

この方式によってＥＵの人権問題への制裁などは、極めて機動的な対処が可能になった。ＥＵはミャンマーの軍事クーデターにも、素早く国軍関係者十人以上を特定し、制裁を科すことができたのである。

諦めることなく訴え続けたウイグルの人々の執念は、ついにＥＵ二十七か国を揺り動かしたのだ。これも、トランプ政権〝最後の日〟である二〇二一年一月十九日、ポンペオ国務長官による中国のウイグル人ジェノサイド認定が大きく影響している。

この偉大な置き土産は、自由世界に想像以上の「ウイグル人を助けよう」「中国の弾圧を許すな」との声と勇気を湧き起こしたのである。

だが、中国は国際社会の非難をものともせず、二〇二一年二月二十八日、香港警察が一月に逮捕した民主派四十七人に対して香港国家安全維持法に基づき「国家転覆」を狙ったことを理由に起訴している。

立法会選挙の候補者を選ぶために民主派が実施した予備選が「反香港政府」であり、「国家転覆」をはかるものである、という滅茶苦茶な論理だ。

さらに三月五日、北京で全国人民代表大会（全人代）が開幕すると、「愛国者に政治を担（にな）わせる」ために香港の選挙制度が見直されることが決まった。

香港は、自由な政治参加すらできない地となったのである。街の中で抗議の横断幕を掲げたり、政治的な主張の文言が入ったTシャツさえ着ることができなくなったのだ。香港市民は、自由とは「一瞬でなくなる」ことを身をもって経験したのである。

だが、国際社会は甘くなかった。怖いものなしの中国のこのやり方を観察していたEU二十七か国、米英、さらにはカナダや豪州、ニュージーランドなど〝ファイブ・アイズ〟が、一挙に反中国を掲げてきたのである。中国の眉を顰（ひそ）めるような傲慢戦略は、こうして自由世界との〝全面対決〟を生むことになったのだ。

百年の恨みの「主敵」は日本

しかし、情けないことに日本は制裁に加わらない。いや、加わることもできない。

政界、官界、マスコミ、財界が長年の対日工作にしてやられ、個人的な利益のため、そして強大な中国を恐れるがゆえに、国際社会の人権を守る戦いから完全に取り残されたのである。

各分野での親中派の勢力は想像以上だ。中国に楯突くことなど、日本政府にとってはあり得ない。だが、逆にここで中国にノーを突きつけることができなければ、日本が今後、辿る運命は悲惨というほかないだろう。

なぜなら、第一章と第五章でも述べたように、建国百年の二〇四九年までに「百年の恥辱（百年国恥）の恨みを晴らし、偉大なる中華民族の復興を果たす」という習近平氏のスローガンの下、中国はその目的達成のために驀進しているからだ。

偉大なる中華民族の復興とは、いうまでもなくアメリカに代わって世界の覇権を奪取することを意味する。そして「百年の恥辱」に対する恨みを晴らす主敵は日本であることも忘れてはならない。アヘン戦争以来、欧米列強の侵略を受けた中国にとって、最も恨みが深いのは日本である。

中国の近代史とは、アヘン戦争（一八四〇～四二年）以来、列強には租界をつくられ、日本には日清戦争、満洲建国、支那派遣軍百万との死闘といった屈辱と恨みの歴史なのである。つまり、偉大なる中華民族の復興のターゲットは日本であり、日本民族への雪辱を抜きには考えられない。尖閣どころか、沖縄、九州、北海道、そして日本全体を舞台に「恨みを晴らす」ことが念頭にあることを知らなければならない。

彼らの本音を知った上で自分の行動を振り返っていただきたい。私たち日本人は、自由と人権という普遍的価値を守るために、そして民主主義を共有する国々とスクラムを組んで抑止力を高め、中国の力による現状変更を阻止するために何かしているだろうか。残念ながら、答えは心許ない。

私はそんな切実感を持った国会議論を聞いたことがない。国家の使命とは国民の生命、財産、領土領海を守ることにある。では、その使命を果たすために、政治家も、官僚も、マスコミも、「努力をしていますか」ということを問いたいのである。

あなたにとって一番大切なものは何ですか、と聞かれたら、多くの国民はわが子や孫、妻、あるいは夫、そして父・母といった「家族の命」を挙げる人がほとんどだろう。それに異論がないならば、じっくりと「戦後秩序の変化」を考えていただきたく思う。

それは先の大戦が終了してから七十六年が経過し、世界はどうなったか、ということだ。七十数年でなく、この十年の激変を考えるだけでいい。

この十年で世界はどう変わったか。

戦後、長く続いた米ソ冷戦が一九八九年のベルリンの壁崩壊以降、共産圏が総崩れになり、ソビエト連邦も「ロシア」と国名を変え、連邦を構成していた国々が独立していった。第二次世界大戦後の「冷戦」がついに決着したのである。

しかし、その後、アメリカ「一強時代」がつづくと思われていた中で急速に力を伸ばしてきた国があった。

中国である。二〇〇一年にWTO（世界貿易機関）に入ることができた中国は、世界の工場として、そして同時に最大のマーケットとして存在感を増していった。

二〇〇八年のリーマンショックによって世界経済がどん底に落ち込んだ時、中国は巨大市場を武器に沈滞する世界経済を支えた。

そして二〇一三年に国家主席に就任した習近平は、いきなり露骨な戦略を展開した。南シナ海の岩礁埋め立てである。他国のEEZ（排他的経済水域）内にある岩礁さえ強引に埋め立てるやり方に世界は唖然とした。

「自国領での行為であり、何を造ろうとすべて中国の主権の範囲内である」

各国の抗議に中国はそう言い放った。この問題に言及したオバマ米大統領に対し、習近平国家主席は「軍事基地化などあり得ない」と一笑に付した。

前述の偉大なる中華民族の復興の奥にあるのは「華夷秩序の復活」という独特の考え方である。世界の中心に中国の王朝があるという中華思想に基づき、周辺の未開の「蛮族」は自分たちに朝貢をして秩序を保ち、その秩序こそ「善」だという思想が中国には存在する。

この考えでいけば、水、土、空気など自分たちの生存空間の確保は、中国にとって「善」であり、中国が、尖閣も、そして南シナ海の島々も、すべてで領有権を主張しているのは、それが「当然だから」なのである。

中国は「百年の恥辱」の恨みを晴らすため、二〇四九年の建国百年までに世界覇権を奪取すると宣言し、その通り動いている。しかし、日本では、いまだに「中国はそんなことをする国ではありません」と信じ切っている、現実を見ることのできないドリーマー（夢見る人）が多いことは、まことに残念というほかない。

アジア版NATOと憲法改正

私は「冷戦時代」が終止符を打ち、米中の「新冷戦時代」を迎えた今、憲法改正とアジア版NATO創設が必須であると考えている。冷戦時代は米ソ激突の最前線は「欧州」

だったが、新冷戦時代の最前線は「東アジア」となった。

一九四九年にできたNATO（北大西洋条約機構）は揺るぎなく欧州の平和を守ってきた。NATOとは、加盟国の一国がどこかの国から攻撃されれば、加盟国全体への攻撃とみなして「加盟国全体が反撃する」という集団的自衛権に基づく軍事同盟である。

さすがのソ連も、加盟国全体から一斉に反撃されるのでは手を出すことができなかったのだ。これが集団的自衛権が持つ絶大なる抑止力である。

ラトビア、リトアニア、エストニアのバルト三国がNATO入りを果たし、一方、入ることができなかったウクライナ、ジョージア（グルジア）との間で、明暗が分かれたことも知っておかなければならない。前者がNATO加盟により平和を維持できたのに対し、ウクライナはロシアにクリミアを併合され、ジョージアはアブハジアと南オセチアという二つの地域がロシアの支援によって独立に至った。集団的自衛権に基づく軍事同盟の威力は、平和維持のためにそれほど有効なのである。

しかし、新冷戦時代の最前線となった東アジアに中国の侵略を止めるような同盟は存在しない。抑止力を発揮して欧州の平和を守ってきたNATOが「ない」のである。

理由は、本来、その旗を振らなければならない日本が集団的自衛権や陸・海・空の戦力を持ってはいけないという憲法を未だに改正できていないからである。

もはや冷戦下で平和を貪っていた状況とはまるで異なる時代を迎えているのに、未だに日本人は現実を直視できないのだ。

残念だが、憲法を改正して集団的自衛権行使が可能な体制を確立できなければ、日本の運命は極めて危うい。私はアジア版NATOを「環太平洋・インド洋条約機構」と名づけているが、国会も、マスコミも、なぜ国民の生命・財産・領土を守るためにこの議論をしないのか、不思議でならない。

わかりやすく言えば、かつて冷戦時代には改正の必要性がなかった憲法九条が、現在の新冷戦下では、逆に国民の「命の敵」と化しているのである。

幸いに安倍晋三前首相の主導によって「日米豪印四か国戦略対話（クアッド）」が成立している。中国の侵略に対して一致して戦おうという四か国の危機感から生まれた同盟を目指す話し合いだ。まさにアジア版NATOを目的とするものである。アジアの人々は抑止力を行使して平和を守るために、日本が早く立ち上がってくれることを待ち望んでいる。

中国の侵略の脅威に晒されている台湾を、これに〝プラスα〟として参加させることができるか、など山積する課題は数多くある。このアジア版NATOによって中国の侵略からアジア各国の平和を守ることができれば、これほど素晴らしいことはない。アジアの国々は、ウクライナやジョージアのような侵略を受ける側ではなく、バルト三国のごとく平和を享受（きょうじゅ）する側にならなければならないのだ。

国際秩序を破壊して向かってくる中国から、平和を守らなければならない。そのことを日本人は子や孫の世代に誓う必要がある。だからこそ最低限の「憲法改正」だけは果たしておきたいのである。

具体的に「自衛隊合憲化」と「集団的自衛権」を獲得するためには、どんな文言が必要だろうか。私は以下を提唱しているので、参考にしていただければ幸いである。

【憲法九条】　改正案

日本国民は、正義と秩序を基調とする国際平和を誠実に希求する。わが国は、国際平和の維持と国民の生命・財産および領土を守るために自衛隊を保有し、いかなる国の侵略も干渉も許さず、永久に独立を保持する。

このシンプルな表現だけで「自衛隊合憲化」と「集団的自衛権の獲得」を果たすことができるのである。

私たち国民、そして子孫の命を守るために是非、実現していただきたいと思う。将来にわたって東アジア、ひいては世界の平和を守ることが、この時代を生きる私たちの「使命」と「責任」なのである。

おわりに

雑誌『正論』（二〇二一年四月号）をパラパラとめくっていたら、一本の記事が目に飛び込んできた。

阿比留瑠比・産経新聞論説委員による〈森喜朗氏騒動と〝魔女狩り〟の恐怖〉と題された四ページの記事である。

そこには、冒頭からこう書かれていた。

〈森喜朗元首相がたたいた軽口がよってたかって世紀の大失言、許されざる女性蔑視発言に仕立て上げられ、東京五輪・パラリンピック組織委員会の会長辞任に追い込まれた問題について書く。

のっけから他紙の引用で恐縮だが、森氏の地元紙、北國新聞の二月十三日付朝刊に掲載された坂野洋一編集主幹の署名記事を紹介したい。十日夜に電話で森氏と妻の智恵子さんと話した際のこんなやりとりが記されていた。

「電話口で森氏は疲れ切っているようで、珍しく言葉数が少なかった。代わって、電話に出た智恵子夫人の言葉が心に刺さった。
『マスコミは余りにひどい。これはマスコミによる、いじめじゃないですか』。
　夫人はこう訴えた。世界中にわざわざ火をつけたのは日本のマスコミだ。発言を批判するだけならまだしも、過去のことを蒸し返し、個人の人格をおとしめるような報道までしている。長女や孫も週刊誌の記者に追い掛け回されている。
『まるで犯罪者みたいに。主人がそこまで悪いことをしましたか』。」

当事者の悲痛な叫びに胸が締め付けられる。マスコミの片隅で禄を食む者として、心からお詫びしたい。森氏の発言は公人としての立場上、言わずもがなで言葉足らずではあるが、それ以上でも以下でもなかった。

そう、この間に起きた異様な騒動は、正義ぶったマスコミやその同調者らがいう「正当な批判」などでは決してない。気に入らない相手のささいな非を拡大鏡で大きくし、血祭りにあげた集団リンチであり、限度を知らないいじめにほかならない。

がん患者で透析も受けている八十三歳の元首相が、人生最後の奉公として命懸けで無報酬で働いてきた姿を嘲笑し、無にしようとするのである。そして、職を辞しても追撃を緩めず追い回し、いじめ抜くのだからたちが悪い。スケープゴートを見つけて、相手が倒れるまで徹底的にたたき、異論も反論も認めないその姿は、さながら中世の魔女狩りのようで恐怖と強い嫌悪感を覚える〉

記事を読みながら、日本のマスコミにも、まだまともなジャーナリストがいるんだ、ということを知り、久しぶりに頼もしく、爽やかな思いがした。それと同時に、あらためて森氏のご家族の思いに共感し、同情する。

本書で私は〈たとえ小さく些細なものでも、そこにある「差異」をことさら強調することによって〝差別の被害者〟を生み出し、それに対する「不満」を利用して、本来はあり得ない一種の「階級闘争」に持っていく〉という新たな闘い方について論述した。

阿比留論説委員は、これを〈気に入らない相手のささいな非を拡大鏡で大きくし、血祭りにあげた集団リンチであり、限度を知らないいじめにほかならない〉と表現した。

ネット時代、そしてSNSの爆発的普及の現代において、全体主義を目指す特定の政治勢力によって利用されるこのモンスターは肥大化し、さらに想像以上の威力を生み出していくだろう。

発言の切り張りで、話の趣旨を「まったく正反対」にすることもできるのである。全体主義者の意図や手法を私たち利用者は冷静に分析し、決して彼らに乗せられてはならないと思う。そして一翼を担っているのがマスコミであることも忘れてはいけない。

ジャーナリズムの崇高な使命とは無関係に「政治的な主張」や「自分が理想とする主義」が先行する人たちがいつの間にかマスコミで大勢を占めてしまった。記者というより活動家と評した方がいい人たちである。マスコミにはそんな人間が目白押しなのだ。記事、あるいはSNSに触れる時、いつもそのことを念頭に置いておきたいものである。

日本のマスコミの特徴は、「権力の監視」などと格好のいいことを口にし、〝自己陶酔〟することだ。

日本では政権批判なら何でも許される。いくら攻撃しても、政権から反撃が来ることはないからだ。反権力などと自己陶酔している記者たちは、常に絶対に反撃されない「時の政権」を叩き、自分の思想や主義・主張、さらには虚栄心を満足させるのである。

だが、彼らは、自分が血を浴びるような強大な権力とは決して戦わない。

たとえば中国を見てみよう。

気に入らないことを書かれると、中国は、さまざまな嫌がらせをおこなってくる。国内の取材許可を出さなかったり、特派員にビザを与えなかったり、最悪の場合、記者追放や支局閉鎖もある。つまり、批判記事の代償として、メディアは大きな犠牲を払うのである。

かつて産経新聞が文化大革命の真実を報道し、当時の柴田穂（みのる）・北京支局長が国外追放され、支局閉鎖となって、長期にわたり中国での支局再開が叶わなかったことはあまりに有名だ。

日本のマスコミが、なぜ本腰を入れてウイグルのジェノサイド問題を報じないのか、わかっていただけるだろうか。報復をしてくる中国のような「強大な敵」と戦うつもりなど、もとより、日本のメディアには「ない」のである。反発が予想される「権力の監視」など、あり得ないのだ。

巨大宗教団体の創価学会についても同様だ。この強大な圧力団体に対して、戦いを挑むマスコミは、日本にほとんど存在しない。日本の各分野における巨大権力、圧力団体に、なぜマスコミはひれ伏すのかと問われれば、「日本のマスコミは、強い相手には尻尾を巻き、血を浴びない安全な権力しか叩かないから」と言うほかないのである。

メディアが健全な社会実現のために役に立たないどころか、むしろ「敵」となっている今、私たちは、より現実を見据えなければならない。そして、マスコミの報道のウラに何があるかを考えなければならない時代であることを強く認識すべきだろう。私たち一人一人が姿を変えた「新・階級闘争」に踊(おど)らされることのないよう心したいものである。

本書の出版にあたり、編集を全面的に担ってくれたWAC出版局の仙頭寿顕編集長に御礼を申し上げたい。貴重な助言がなければ本書は日の目を見ることがなかった。

また『WiLL』連載の際には、立林昭彦編集長と同編集部の山根真次長に大変お世話になった。この場を借りて御礼を申し上げたい。

そして、同時代に生き、危機感を共有できる多くの方々のご支援によって本書が〝形〟になったことを、感謝を込めてご報告したく思う。読者の皆さまに対しても同じ思いである。心より御礼を申し上げたい。

二〇二一年　四月

門田隆将

門田隆将（かどた・りゅうしょう）
作家、ジャーナリスト。1958（昭和33）年、高知県生まれ。中央大学法学部卒業後、新潮社入社。『週刊新潮』編集部記者、デスク、次長、副部長を経て、2008年4月独立。『この命、義に捧ぐ―台湾を救った陸軍中将根本博の奇跡』（集英社、後に角川文庫）で第19回山本七平賞受賞。主な著書に『死の淵を見た男―吉田昌郎と福島第一原発』（角川文庫）、『オウム死刑囚 魂の遍歴―井上嘉浩 すべての罪はわが身にあり』『日本、遥かなり―エルトゥールルの「奇跡」と邦人救出の「迷走」』（PHP研究所）、『なぜ君は絶望と闘えたのか―本村洋の3300日』（新潮文庫）、『甲子園への遺言』（講談社文庫）、『汝、ふたつの故国に殉ず』（KADOKAWA）、『疫病2020』『新聞という病』（産経新聞出版）、『日本を覆うドリーマーたちの「自己陶酔」』（ワック）などベストセラー多数。

新・階級闘争論（しん・かいきゅうとうそうろん）
暴走（ぼうそう）するメディア・SNS

2021年5月8日　初版発行

著　者　門田 隆将

発行者　鈴木 隆一

発行所　ワック株式会社
東京都千代田区五番町 4-5　五番町コスモビル　〒 102-0076
電話　03-5226-7622
http://web-wac.co.jp/

印刷製本　大日本印刷株式会社

ISBN978-4-89831-841-6